羅南駅。戦渦の拡大により自宅からの逃亡を余儀なくされた著者ら母子三人は、赤十字の傷病兵輸送列車に乗せてもらうため、まずここに向かった。

著者が住んでいた当時の朝鮮北部・羅南の街の風景。

（写真提供：上下とも国書刊行会）

著者の両親。朝鮮・羅南在住時のもの。

満 79 歳である現在も、講演活動などで精力的に全米をはじめ世界中を駆け回っている。写真は日本における崔吉城東亜大教授との対談時のもの。

（写真提供：中国新聞社・伊東雅之氏）

ヨーコ・カワシマ・ワトキンズ　著&監訳
都竹恵子　訳

竹林《たけばやし》はるか遠く

日本人少女ヨーコの戦争体験記

SO FAR FROM THE BAMBOO GROVE by Yoko Kawashima Watkins

Published by arrangement with HarperCollins Children's Books,
a division of HarperCollins Publishers

Japanese translation rights arranged with HarperCollins Publishers
through Japan UNI Agency, Inc., Tokyo.

愛する、好《こう》お姉様へ

序

ジーン・フリッツ

一九四五年は、朝鮮北部に住んでいた一人の日本人少女にとって、最悪な年だった。日本人に対する朝鮮の人々の恨みは、日増しに濃くなっていった。日本が、彼らの国を統治していたからであった。

その当時、第二次世界大戦の脅威が日本に迫っていた。前哨隊を朝鮮北部の国境近くに配置しているソ連が、アメリカやイギリスの連合国軍に加わって、いつ日本に宣戦布告してくるか分からなかった。また、そのときすでにアメリカは、朝鮮北部の工業地帯を爆撃していた。

重大な危機が、すぐ目の前にまで迫っていることも知らず、川嶋擁子《ようこ》は竹林に囲まれた家で何不自由なく幸せに暮らしていた。擁子の幼い頃の思い出に、父がつがいのカナリアを持ってきたことがあった。鳥かごの前に座っては、長い間カナリアと話をしていた。後にこのことを作文に書いて学校で発表すると、クラスメートたちは笑い出して、「人間が鳥と話なんかできるわけがない」と言った。しかし、その頃、すでに作家になろうと思っていた擁子は、「私はできるし、ちゃんと話をしたのよ」と言い張った。そして、この作文が地方新聞に載ったときは殊の外喜んだ。

しかし、それから数年後に、想像を絶するような現実の真っただ中に陥ることになるなど、擁子は知る由もなかった。——それはあまりにも冷酷で悲惨なものだったので、擁子が大人になってからそれを綴るまでに、多くの時間を要したのである。

ヨーコ・カワシマ・ワトキンズはアメリカ人と結婚し、四人の成人した子供の母親となり、現在ケープ・コッドに住んでいる。英語をマスターし、彼女自身の悪夢の物語を書きあげた努力は、生き残る技を身につけ、幼い頃朝鮮からの脱出時にみせた粘り強さと意志の証明である。彼女曰く——私はどん底のさらにどん底にいたのよ、と。

この本の出版に際し、作家仲間の一人が擁子に、

「これからは、他の作家といろいろな面で、競争をすることになるでしょうね」と言った。しかし、擁子は、いいえ、何のためであろうと誰とも競争するつもりはない、と答えた。

「私は若い頃、生きるか死ぬかの戦いをした。そして私は勝ったのよ」

これは擁子の勝利の物語である。

竹林はるか遠く◆目次

第一章　擁子の章（一）

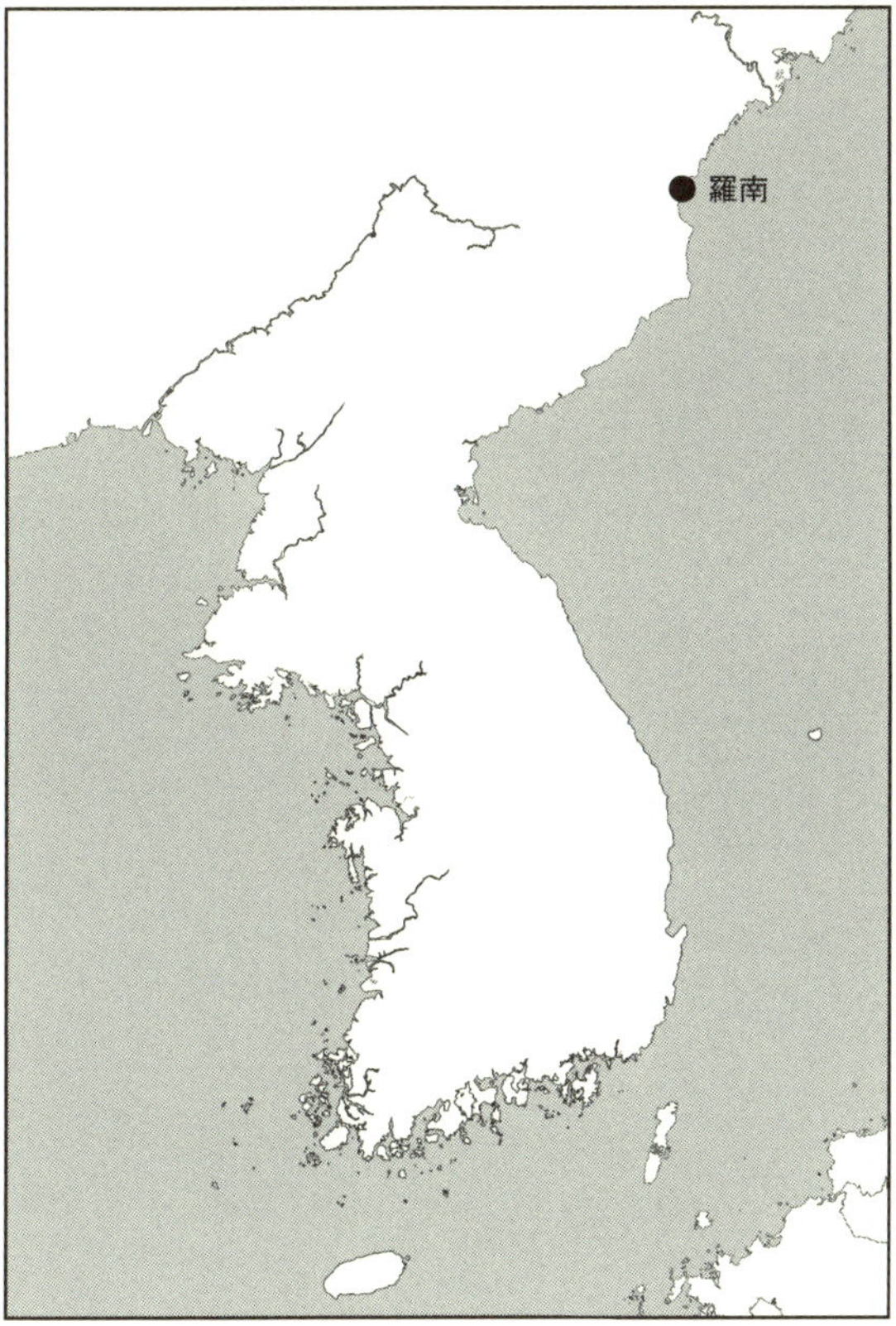

深夜に突然の来客。それ以降、私たちの生活が一変した――

一九四五年、七月二十九日の真夜中のことであった。母と姉の好《こう》と私は、持てるだけの荷物を背負って、竹林の中にある私たちの家や、友人たちに永遠の別れを告げて、朝鮮北部の羅南《らなん》（ラナム）から脱出した。

暗闇の中で母は、戸締りを確認した。当時、私は十一歳で好は十六歳だった。私はひどく疲れていた上、頭がくらくらしていたので、どちらの方に歩いているのかさえ分からなかった。冷たい夜風が私の顔に吹きつけていた。それでも頭は、はっきりしなかった。

母は玄関に鍵を掛けた。

「さあ、あなたの手首を貸してちょうだい、小っちゃいの」母は低い声で命令した。

私は、家族にいつも〝小っちゃいの〟と呼ばれていたが、特に兄の淑世《ひでよ》はいつもからかって私を〝やかましいの〟と呼ぶこともあった。その理由は、からかわれたときや家ではしゃぐときに、いつでも私が金切り声を出していたからだった。

「手首？」

私は二週間、空襲のせいで眠れず、頭がぼんやりとしていたので聞き返した。

「早く！」

母は暗闇の中で私の手首を掴み、細引きで自分の手首と結びつけた。

「これで絶対に離れ離れにならないわ」

続いて好の手首を縛りながら、母は不安でたまらなそうな声で尋ねた。

「ちゃんとお父様に書き置きを残してきたわね？」

「はい、お母様」

「私は淑世に残してきたわ。淑世が早く書き置きを読んで、私たちと合流できるといいわね。家の鍵は締めていくけど、淑世は窓から入ることができるから大丈夫。あと、私たちがここを出ることを誰にも気づかれないように。たとえ何があっても、駅に着くまでは静かにするのよ。分かった？」と母は言った。

「はい」

好はもう一度返事をした。この事態の急変に、私は泣きたかった。

私たちは日本人で、朝鮮北部に住んでいた。私は未だ祖国を見たことがなかった。父は満州鉄道で働いていたので、私は満州の国境線から八十キロ程離れたこの古い町で育った。港を隔てて、ソ連（現在のロシア）の港であったウラジオストックとナホトカがとても近く、父は出来るだけ頻繁に汽車で帰って来ていた。

日本はこれまで四年に渡ってアメリカとイギリスと戦争状態にあった。戦争の影が、私たちの平和な村にもここ何ヶ月かの間に忍び寄って来ていた。

そして数週間前、実に恐ろしい事件が起こった。そのとき家には母と私の二人きりで、私は書道教室に行く前に、習字の練習をしていた。

清書を終えるとまもなく、憲兵が四人、来客専用の玄関から靴もぬがずにドタドタと入って来た。

いかにもいじわるそうな憲兵が、

「金属はすぐに供出するように。鉄、銅、銀、それから金も」

と母に言った。当惑した様子で立っていた母を憲兵は怒鳴りつけた。

「早く出せ！」

母が父の宝であった銀の灰皿セットを渡すと、その憲兵はそれを箱に投げ入れ、「もっと出せ！」と要求した。

母は床の間にあった銅の花びんを持って来た。それには花がいつも優雅に生けられていた。母が美しく生けてあったアヤメを一本ずつ抜き始めると、憲兵は母を押しのけ、花を一掴みに引き抜くと花びんと剣山とを箱に入れた。母はじっとその箱を見つめていたが、何も言えずにいた。

上官が母の結婚指輪に気づくと、それも要求し、さらに母の金縁眼鏡も差し出すよう命じた。

「それがないと何も見えません」

母がそう頼んだにもかかわらず、箱の中に投げ入れてしまった。

最後に、上官は私の習字紙に乗せてあった富士山の文鎮も取り上げた。それは、父方の祖母が私に送ってくれたもので、先祖代々から伝わり、父へと受け継がれたものであった。祖母は、「今でもそれを使って習字の練習をする若い父の姿が目に浮かぶ」と言っていた。この富士山の文鎮を通して、私は祖国の堂々とした山に憧れ、その美しさを夢見ていた。

上官は、私が書いた〝武運長久〟の字をちらりと見て、習字紙を残すと、文鎮を箱に投げ入れた。私はどうすることも出来なくて、拳を握りしめ怒りを抑えて立ちすくんでいた。

しかし、鉄製の文鎮が箱の中で母の大切な眼鏡を壊したとき、とうとう私の怒りは爆発した。私は上官の手に跳び付き、思いきり噛みついたのだ。

上官は悲鳴をあげたが、私はさらに強く噛みついた。その上官は私を払いのけ、母を押し倒すと、次に私を床に投げつけ、長靴《ちょうか》で脇腹や背中を蹴った。私は目の前が真っ暗になった。

「出て行って下さい！　出て行って！」

暗闇のどこからか母の悲痛な泣き声が聞こえた。


目を覚ましたとき、淑世、好、母、そして山田医師の顔が見えた。医師は父の友人で、いつも笑顔で患者に接する人であったが、このときばかりは違っていた。医師は私に注射をした。

母は私の背中に冷やしたタオルを当てていた。深呼吸をする度に胸や脇腹が痛んだので、多分肋骨にひびが入っているのだろうと言って、医師は蟹眼鏡《かにめがね》の奥から私を覗き込んだ。

「暴れてはいかんぞ。小川を渡るのも駄目。私がよしと言うまで外に出ないように」

厳しい口調でそう言うと、母の方を向いて、

「私が眼科医の友人に電話しましょう。眼鏡を作ってくれるはずです。今回の軍の行為は絶対に許し難い」と激怒して言った。

「政府は弾丸の材料不足でやっきになって集めているんでしょう。もしこんなことがもう一度起こったら、すぐ私に電話してください」

山田医師の禿げた頭が夕日に照らされていた。かつて新年会に来た医師が、父に「黒くふさふさとした髪が伸びる薬を発明しなければいけない」と言っていたのを思い出し、私は傷の痛みも忘れて笑ってしまった。

次の日、学校に行かなくてよくなったので嬉しかった。

近頃、学校はすっかり変わってしまっていた。男の先生は国民服を着ていた。東條首相の命令で、女の先生も女子学生もカーキ色のもんぺに質素な長袖の服といった標準服を着なければならなかった。

戦時中のため授業は三時間だけで、その後は、軍隊のために勤労奉仕をするのが日課になっていた。空き缶を集めたり、弾薬施設に行き、軍手をはめて大きな箱から欠陥のある弾丸を選別したりした。私はその仕事が嫌いだった。母が人殺しは好きではないと、事あるごとに口にするので、私にとって、その仕事は相手が敵であるにせよ、軍隊が人を殺すのを手伝っているような気がしてならなかったのだ。

父は、家に帰ってくると必ず、淑世と一緒に家族が這って入れるような防空壕を竹林の中に掘っていた。

「どうして掘るの？　お父様」

そう私が尋ねると、父は、「万一の空襲に備えてだよ。戦争中だからね」と答え、好と私に防空壕のカバーを作るため高く細長く延びた竹を見つけて、細引きで束ねるよう命じた。

父はまた私たちに、米、魚の干物、飯盒《はんごう》、着替えの服、毛布をそれぞれ非常用リュックに詰めて置くように命じた。そして、もし敵が襲撃して来たら、各自が自分の物を急いで持ち、防空壕へ走って行けるよう、リュックを玄関に置いておくように、と付け加えた。

母は二重の大風呂敷を用意し、非常用品のほかに私たちの健康手帳、保険証、さらに学校の成績表のような大切な書類を入れた。

母が布で何かを縫っていたので、

「何を縫っているの？　お母様」と尋ねると、

「風呂敷にポケットを作っているのよ」

「何のために？」

「いろんなものを入れたいからね」

生徒たちは空襲があれば家に帰る時間などないので、それに備えて学校の周りに壕を掘り始めた。私はシャベルを手渡されたが、その取っ手は私の背よりずっと高く、固くごつごつした地面を掘るには重過ぎた。私は、はあはあと息を切らし、シャベルと格闘しているだけだった。

私たちは、学校でどのサイレンが警報であり解除であるかを習った。

初めての空襲警報が鳴ったとき、私たちは壕を掘っていた。警報が突然鳴り出すと、担任の榎本先生が怒鳴り声で全員地面に伏せるように命じた。エンジンが頭上でうなっているのが聞こえた。私はそれまで一度も飛行機を見たことがなかったので、そっと顔を上げると、編隊を組んで飛んでいくアメリカの飛行機が三機、はっきりと見えた。

榎本先生が、私に「頭を下げろ！」と叫んだ。それは、怒りと恐怖の叫び声だった。胸の鼓動は速くなり、うつ伏せのまま深呼吸をすると、息が口の周りの土を巻き散らした。解除のサイレンが聞こえたとき、私はすぐさま家に帰りたかったが、壕を掘る作業に戻った。

やっとのことで家に帰った。私は、疲れ果てて習字の練習に集中できなかった。それにシャベルを握っていたせいで、手の震えが止まらず筆をしっかり持つこともできなかった。初めての空襲体験、そして父の不在……私はとても不安だった。私は母にこう尋ねた。

「今から稽古を全部休んで、ずっとお母様と一緒に家にいたい」

「それはやめるということ？」と母は聞いた。

両親はたとえ戦争中であっても、私に習字だけでなく、人をもてなし歓迎する茶道、華道、詩歌の詠み書き、そして日本舞踊などの特別な稽古を続けさせていたのである。

「私はどの稽古にも才能が無いもの。それに、体がくたくただわ」

「小っちゃいのに才能があるかないかは問題じゃないわ。この習い事はいつか役に立つし、それに心を磨いてくれるわ。疲れているのなら早く寝ればいいでしょう」そう母は言った。

私は四月に祖国から届いた恐ろしいニュースを思い出していた。

その日の授業の終わりを知らせるベルが、暖かくて眠たくなるような午後に鳴った。私たちはみんな席を立って榎本先生に礼をした。先生も礼をした。榎本先生は私たちに掃除当番を済ませるように念を押し、それから青白い深刻な顔でそのニュースを発表した。

「あなたたちに言うのはとてもつらいのですが、アメリカの爆撃機が東京を襲い、街は破壊されました。あなたたちの中で東京に親戚のいる人はいますか？」

数人の子供が手を挙げた。

「本当に残念です……」

榎本先生は彼らの顔を順に見ながら言った。

「お昼のニュースではほとんどの人が亡くなったということでした。東京は火の海だそうです」

すすり泣きが聞こえ始めた。私はクラスメートたちがかわいそうだと思う反面、私の祖父母が東北に住んでいたのでほっとした。

私は母と一緒に居たくて、一刻も早く家に帰りたかった。「掃除当番がなければ……」と、どんなに思っただろう。しかし、私たちの班の十人はいつものように一年生の教室や便所の掃除をしなければならなかった。

掃除が終わるとすぐに外に飛び出した。近道をして草で覆われた土手を駆け下りると、スズメが突然舞い上がり、真っ青な空へさえずりながら飛んで行った。豆満江《とまんこう》の支流は流れが速く、大きな岩の周りは水しぶきが上がり、滴《しずく》をきらめかせていた。

私は靴を脱ぎ、靴下をポケットに詰め込んで、川の浅瀬を歩いて渡ると、竹林を抜け、まっしぐらに家まで走って帰った。

「お母さまー、東京が爆撃されたんだって」と大声で叫んだ。

「ラジオを聞いたわ」

母は、肩を落として言った。羅南にはほとんどなかったラジオが、私の家にはあった。

「戦争が私たちのところまで及ばないことだけを祈るわ」母は深いため息をついた。

「鏡城の丘のふもとにもう一部隊駐屯した、とちょうど聞いたところよ」

そこは私たちから二キロと離れていないところだった。

「それに、帝国海軍が羅津《らしん》（ラジン）の港に軍艦を泊めているのよ」

その港は五十キロ程離れたところにあった。母は話を続けた。

「陸軍は軍の病院を拡大するために、力尽くで朝鮮から農地を奪ったのよ、小っちゃいの。だから朝鮮は抗日グループという組織を作ったと聞いたわ」

朝鮮人たちは大日本帝国に統治されていたために、日本人を嫌い、戦争を快く思っていなかった。

「恐ろしいことね」

そう言うと母は戦争の話を避けるために話題を変えた。

「病院の発表会は明日ね。夕食の前に練習をしたら」

私は、陸軍病院での負傷兵のための催し物に参加する子供の一人に選ばれていた。好と私に踊りを習うようにというのが父の言付けだったが、遊ぶ時間がなくなってしまうので私はそれが嫌でたまらなかった。やる気のなかった私は、出してはいけない足を前に出したり、上げる必要もないのに足を上げたり、回るのを忘れたりして、間違ってばかりいた。日舞を教える福井先生はきれいに剃った頭を上下に振り、声を震わせ、高くしたり低くしたりして難しい音調の曲を唄っていた。

次の日、ボンネットに大きな赤十字のあるカーキ色の陸軍トラックが、私たちの楽器や衣装を取りに来た。福井先生と淑世はそのトラックで行き、母、好、そして私は、タクシーに乗り、トラックの砂煙を浴びながらついて行った。

軍事基地は、一般市民の立ち入り禁止区域だったので、私は中がどうなっているのか、興味津々だった。私たちは一旦、門で門衛に止められたが、すぐに進むよう手で合図された。白い大きな建物まで来たとき、軍医の龍少佐が私たちに挨拶して、負傷兵は皆、この日を楽しみにしていた、と話してくれた。

大きな講堂の舞台裏には他にも子供たちがいた。ここで彼らの得意な歌や詩の朗読、琴の演奏などが披露されるのだった。

私が着物に着替えていると、講堂に入ってくる人々のざわめきが聞こえ始めたので、重いカーテンからそっとのぞいた。病院の白い寝巻きを着ている負傷兵が、次々と入ってきていた。つり包帯をしている人や、松葉杖で歩いている人がいた。眼帯をしている人たちは、看護婦に付き添われていた。腕や足のない人もいたが、一番ショックを受けたのは担架に乗っていた両手両足のない人だった。私は母にも見てもらいたくて着物の袖を引っ張った。

「胸が痛むから見ないわ」

と母は言った。母の言葉にショックを受けた私は、

「踊りたくないよぉ！」

とささやいた。唇は、負傷した人を見たせいで乾いていた。

「小っちゃいのは間違えることを心配しているの？」

母の問いかけに対し、私は首を振った。

「腕も足もない兵士さんが、そっちにいるの」

「だから擁子が、ここに来たのでしょ。みんなを少しでも喜ばせるために」

堅苦しい将校たちが行進して入り、横の席についた。医者と看護婦も席に座った。

「この町の素晴らしい子供たちが、慰問のために来てくれました」

舞台に立った龍少佐が、開会の挨拶をすると、いよいよ演目が始まった。

他の子供たちの歌や琴の演奏の間に、私は踊った。私は出演者の中で一番小さかったので、舞台の上に出ておじぎをすると、野次が飛んできた。

「何歳かなあ？」

「まだ、おむつをしてるのかな？」

みんながどっと笑い出した。ステージの上で三味線を持って、唄う準備をしていたまじめな福井先生でさえ、口に手を当てた。みんなが笑い出したので急に私は気が楽になって、みんなの幸

せのために一生懸命に踊ろう、と思った。

踊り終えると、ほっとしてお腹もすいてきた。私は、早々に家に帰りたかったので足袋を脱いでいると、龍少佐が急いで楽屋に入ってきて、重傷の兵士に会ってくれないか、と頼んだ。

「病室にマイクをつないでおいたんだが」

そして、口調を改めるとこう言った。

「その着物姿で擁子さんが慰問してくれたら、兵士たちはどんなに喜ぶでしょう」

私たちは重傷兵士の病室を見舞って歩いた。好はみんなにやさしく握手をしながら、一日も早い回復を願っていた。

「傷ついた兵隊さんに触るのが怖くないの?」

私は小声で聞いた。

「怖くないわ」

好は、はっきりと答えた。

「あの人たちはお国のために戦ったのよ」

病室を一通り回り終え、やっと家に帰れると思ったとき、

「もう一人お願いします」

と少佐が言った。

「とても厄介な患者で食事を拒否しているんです。食事をとって私たちに治療をさせてくれたら、もっと早く回復するのですが」

「行きたくない!」

即座に私は断った。

「とても悲しくなるもの」

「分かっているよ。だが、もう一人だけ頼むよ」

ドアの上の名札には「松村伍長」と書いてあった。私はノックするように言われ、おどおどしながらノックしたが、伍長の「どうぞ」という弱々しい声で返事が聞こえるまでに、少佐はかなり長い間、彼を説得しなければならなかった。

中に入ると、その場の光景に私はぞっとした。松村伍長の頭や顔には、何重にも包帯が巻いてあり、耳、口、鼻の先に穴が空いているだけだった。目も覆い隠されていたので、まるでミイラのように見えた。

少佐が私たちの演技が終了したばかりだと説明し、母と好を紹介した。

「そして、こちらは擁子さん。とても小さな女の子だよ」

私は、こんにちは、と言いたかったが、口が震えていたので、おじぎをしただけだった。

「伍長、擁子さんが君におじぎをしたんだよ」

伍長は右腕を上掛けの下から出した。腕には包帯が巻いてあったが、手の部分はそのままだった。私は握手をしたくなかったが、好が私の手を伍長の手に乗せた。柔らかく温かい大きな手が私の手に触れた。

「歳はいくつ？」

「私は………、私はもうすぐ十二歳です、伍長さん」

「とても小さな手だね、まるでもみじの葉っぱみたいだ」

伍長の声はささやくようであった。部屋は沈黙に包まれて、私はとても居心地が悪かった。すると、伍長の手がやさしく私の肩に移動し、それから額を触ると小さな傷痕を見つけた。

「どこでこの傷を負ったの」

「おと…、おと…、おと、男の子と喧嘩をしました、伍長さん」

おどおどしながらそう答えると、伍長は少し微笑んだようだった。

「勝ったの？」

「いいえ、伍長さん…」

私がそう言うと、伍長はさらに微笑んだように見えた。続いて、伍長の指は衣装の素材を調べていた。帯に触れたとき、

「なんて美しい衣装を着ているんだろう。君がこの衣装で踊るのを見たかったなあ」

私は何と答えたらいいのか分からなかった。

「踊りを習っているのかい」

一週間に二回と私が返事をすると、伍長は、

「先生方が自由にしてくれたら、君の踊りを見に行ってもいいかい」

母は、私を見てうなずいたので私は、

「は…、はい、どうぞ、いらして下さい」

と答えた。

それから私に名前を聞いた。

「『ようこ』といってもたくさんの漢字がある。君のはどういう字を書くの?」

好は私をつつき、唇で、答えなさい、と言った。

「ようこの『よう』は擁護とか抱擁の擁です、伍長さん」

難しい漢字だね、と言うと、

「私が君を尋ねて行ったら、君の名前をどうやって書くのか教えてくれるかい」

と尋ねた。このとき、母も好もうなずいたので、

「は…、はい」と返事をした。

その後、母、好、そして福井先生が、伍長の一日も早い回復を願い、ようやくそこを後にしたので、ほっとした。

しかしそのときの私は、後々この男性が私の人生でどれほど重要な人物になるかなど、知る由もなかった。


それから数週間後の五月のある日、私たちが夕食を食べていたときのことである。私は三日間も食べ続けている人参と豆腐の煮物に文句を言っていた。その頃の食糧は米だけでなく野菜も魚も配給制で、母はご飯を炊くとき、麦や大麦や野菜などを加えていた。魚のあるときは、いつでも佃煮や干物にして、避難袋の中に入れてとっておいた。私は麦や大麦入りのご飯が嫌いだった

が、いつも我慢して食べていた。でも、味の付いていない人参だけはどうしても我慢できなかった。

「文句を言うな。小っちゃいの」

淑世は私を叱った。

「皿の上に食べ物があるだけ有難いと思え」

「人参、嫌いなんだもん。料理したのも、生のも全部」

「バカな奴だ。いつかこの人参があったら、と思うときが来るぞ」

そう言って、兄は箸を伸ばし、人参をみんな取って食べてくれた。

そのとき、玄関から「今晩は」という声が聞こえた。

「はあい、すぐ参ります」

母は返事をして立って行った。戻ってきた母と一緒に現れたのが松村伍長だったので、私は驚いた。彼は、白いカンバスのような布地で作られていた傷痍軍人の着物を着ていたが、顔の包帯は取れていた。その顔は醜く、傷痕は生々しく、そして痛々しく見えた。伍長のために母は小さな漆のお膳を用意し、好がお茶を注いだ。

「ずいぶん早く回復をなさったのですね、伍長さん」

一緒に夕食を取りながら淑世は言った。淑世は父の代わりに主人の役目もしていた。

「あなたの妹さんたちに会ったお蔭で、良くなりたいと思うようになりました」と伍長が言った。

偶然にもその日は踊りの稽古日だったので、福井先生が来て三味線の調弦をした。私は先生に丁寧におじぎをすると、特別なお客さんのために、この日ばかりは精一杯心を込めて練習を始めた。

それからというもの、松村伍長はしばしば私たちの家を訪れた。私たちは、次第に彼を大好きになっていった。

伍長は来る度、故郷である日本のことを話してくれたので、私たちはくつろぎながら興味深く耳を傾けた。また、彼は百人一首を良く知っていて、私たちが分かるように説明してくれた。

今や私たちは来る日も来る日も空襲警報を聞いていた。家にいるときに鳴れば、大急ぎで避難袋を持って防空壕へ走った。外で勤労奉仕をしているときは、地面に這いつくばった。アメリカの爆撃機はいつも編隊を組んで飛んでいた。榎本先生は、「あれは母国の東京や主な都市を攻撃したのと同じB - 二九のようだ」と言った。飛行機が飛んでくる度に、私はこの町も火の海に変わり、私たちも焼死するのではないかと脅えていた。役場からは、敵の飛行機から少しの明かりも見つからないように、暑苦しい夏の夜でも全ての窓に暗幕を掛けるように命じられていた。

裁縫が得意だった好は、母がカーテンを作るのを手伝い、私に戦場の兵隊たちへの慰問品として、簡単な寝巻きの作り方を教えてくれた。私は寝巻きを二枚作り、それを包むときポケットの中に私たちの町の状況と、最後に「兵隊さんが、もし敵の村に侵入することがあったら、どうか女性、子供、お年寄りたちを殴ったり殺したりしないで下さい」と書いた手紙をそっと入れた。最後の文を書いたとき、この前来た意地悪な憲兵たちを思い出し、無意識に脇腹を押さえた。

毎晩のように空襲警報に起こされた。家の中も外も暗いので、夜の空襲は余計に不気味だった。

夜間飛行はとても低空を飛ぶので、まるで地球全体を揺り動かされているように思われた。竹が二つに折れんばかりの鋭い音を立てることもあった。誰もが睡眠を奪われ、翌日は疲れ果てていた。

ある夜、淑世は、母に予科練に入隊することにしたと打ち明けた。

「何ですって！」

好は叫んだ。母は驚いて口を開け、少しの間、閉じることが出来なかった。

「級友のほとんどが入隊しているよ」

淑世は、特に真剣な口調で言った。

「自分の国を助けに行くと決めたんだ」

「行ってはいけないわ。淑世」

母は言った。

「お父様と相談しなければいけないわ。たった独りでそのような決断をしていい訳ないでしょ」

「お母様、僕はすでに願書を提出しました。筆記テストと健康診断を受けます」

「どうしてそんな事したの？」

母は嘆いた。

「どうして相談してくれなかったの？」

「僕は十八です。自分自身のことは自分で決められる年齢です」

「十八歳でも、十九歳でも、たとえ二十一歳でも同じことよ、お父様が家に帰って来るまで待ちなさい」

「僕はお母様を尊重していないわけではありません。でもお母様は、世界で何が起こっているのか分かっていないんです」淑世は言葉を続けた。

「僕たちの国は若い兵士を必要としているんです」

母は語気を強めた。

「東條内閣が真珠湾を攻撃し、戦争を始めたのが一番悪いのよ。お父様は日本政府のやり方に反対なのに」

母の声は震え始めた。

「政府は私たちの平和、愛、幸せの全てを奪っているわ。夫や息子を失うくらいなら、国が戦争に負ける方がずっとましだわ」

それだけ言うとわっと泣き出した。淑世は部屋を出て、好は急いでお膳を片づけ始めた。私は母をどう慰めてよいか分からなかったので、そっと立ち去った。

それからというもの、母と淑世は毎日言い争っていた。母は父に帰って来てくれるように電報を送ったが、父は他の政府役人と大切な会議に出席しているから戻れない、との返事だった。

もう母と淑世は話をしなくなっていた。そんな二人を見て好は何かを決心したようだった。好が淑世の部屋に行ったので、私もついて行った。

「少なくともお母様と話すべきよ。お兄様」

好は口を開いた。

「ほっといてくれ」

そう言うと、淑世はたたきつけるように続けた。

「ばか！　お前たちは何も分かっちゃいない。出て行け」

「私は言いたいことを言うまで、出て行かないわよ」

好はずけずけと言った。

「それなら、言いたいことを言って出て行け！」好は淑世に絶対に、予科練に入ってはいけない、と反対した。

「もし、お父様が死んだら誰がお母様や私たちの世話をするの？　誰が家を継ぐの？」と聞いた。

「お母様は養子を迎えるよ」

淑世は冷たく言い放った。

「お兄様は、予科練に入隊して国のために死ぬことが名誉であり、英雄になることだと思っているかもしれないけど……」

と好は続けた。

「政府は勇気ある死に対して、立派な勲章をお母様に贈るのでしょ。でもお母様がそれを欲しがっているとでも思っているの？　違うわ！」

「今、戦場には年寄りと体の弱った男しかいないんだ」

淑世は言った。

「健康な人は殺されたか、負傷をしたかのどっちかだ。それに、級友たちが戦死しているのに、僕だけが毎日平和に学校に行けるもんか。僕は長い間この事を考えていたんだ」

「聞きなさいよ！　今から言うことを」好は更に語気を荒げた。

「練兵場で勤労奉仕をしていたとき、病院の寝巻きを着た、まだ回復していないたくさんの兵隊さんを見たの。彼らは砲撃や爆撃の模擬訓練で、戦場へ食糧を運ぶ訓練をしていたの。その中には、松村伍長もいたわ。みんなとても疲れ切っていたようだった。私は、もし日本が若い人を集めたり、まだ全快していない兵隊たちを戦地へもどすようなことを強制したりするようなら、まあ、この戦争には勝つ望みはないと思った。お兄様は命を粗末にしているのよ」

一息に好は叫んだ。

「もし予科練に入隊したら、私はお兄様と縁を切って一生口を利かないわ」

「私も！」私も大声で同調した。

「一生！」

「女は口を出すな！　さっさと出て行け！」

淑世が手荒に襖を閉めたとき、

「自分のことは自分で決める！」と怒鳴った。
二、三週間後、軍の司令部から速達便が届いた。それは父宛であった。父がいないときは家長代理の淑世が手紙を開けることになっていたのだが、あいにく彼は練兵場へ行っていて留守だったので、母が封を開けた。それは、淑世の筆記試験と身体検査の結果だった。好と私は手紙を見ようと母に寄り添った。母の手は震え、顔は青ざめていた。私の胸は激しく鼓動を打った。それから間もなく母の顔が和らいだ。「何て書いてあったの。お母様？」

好は急かすように聞いた。久しぶりに、母は心から微笑んだ。

「見てごらん！」

こう言うと母は私たちに手紙を見せた。

「淑世は身体検査には通ったけれど、筆記試験に落ちたわ。淑世は軍人になるには能力不足なので、週に六日、ここから三〇キロ先の町にある兵器工場で働かせる、と書いてあるのよ」

「お兄様の能力不足ってどういうこと？」

好は尋ねた。

私たちは同封されていた試験用紙に頭をくっつけるようにして読んだ。突然、好が笑い出した。

「分かった、分かった。お兄様は、試験官の目にはとてもあほうに見えたんだわ。これを見たって分かるでしょ。お母様の息子はわざと間違えた答えを書いたのよ。これは小っちゃいのでも答えられる問題だもの」

淑世が工場へ行かなければならない日が来た。母は大きなリュックに食べ物や服を詰めて、「針と糸も入れておいたわ」と淑世に告げた。淑世は重い靴を履き、カーキ色のゲートルを巻いた。

「では、六日間のさよならだ」

そして、本当に真剣な口調で、好に、

「お母様と小っちゃいのの世話をよろしく」と付け加えた。

好はあふれる笑顔でうなずいた。私も、兄が予科練に入隊して死ぬよりは、工場で働いてほしかったので微笑んだ。私たち三人は竹林の先まで歩いて見送り、兄が駅の方へ曲がるまでじっと立っていた。

その夜、家は空っぽのようだった。夕食を食べているときでさえ誰も口を開かなかった。しばらく経って、母が沈黙を破った。

「お父様が手紙をくれたわ。避難袋は用意してあるかどうか心配していたわ。たとえ夏でも冬服を防空壕に持って行くべきだと…、『万が一、避難しなくてはならなくなったときのために』と書いてあったのよ」

それから薄明りの中で私は作文の宿題を始めた。作文に、「祖父母」と題を付けた。書き進むうちに、いつの間にか、いつ、自分のおじいちゃんとおばあちゃんに会えるのかしら、と考えていた。改めて原稿用紙を見たが、薄暗い光の中では書いたものを読むことさえ出来なかった。私は深いため息をついた。いつになったら平和になって、灯かりをつけることが出来るのだろう。

最終列車の通り過ぎるのが聞こえた。寝る時間だ。私はとても疲れていたので服を着たまま布団の上に身を投げ出し、今夜こそ空襲で目を覚まさなくても済むように祈った。

突然、誰かが戸を叩く音と叫び声が聞こえ、驚いて目を覚ました。まだ寝ぼけた状態ではあったが、私が起きると、玄関で蝋燭を持った母が、誰かと言い争っていた。好も話に加わった。それから、好は、私を見て言った。

「松村伍長さんが見えたの。私たちにすぐに避難するようにと言っているのよ！」

「いいえ、伍長さん、私は今ここを出て行くわけにはいきません」

母は続けた。

「淑世は土曜まで帰って来ませんから。淑世を置いて、出て行くわけにはいきません」

「自分は、あなたたちだけでも出来るだけ早く避難するよう、警告するために来たのです」

伍長は母に言った。

「まもなくソ連兵が上陸してきて、きっと皆さんを捜しに来ます。ここに残っていては殺されてしまうでしょう」

「どうして？」

「ご主人が満州で日本の利権のために仕事をしているからです」

「でも、どうして息子を置いて行けるでしょうか？」

「京城《けいじょう》（現在のソウル）駅で待っていると、書置きを残して下さい」

伍長はあわただしく話した。

「日本人の病人を避難させている赤十字列車（傷病兵輸送列車）が、朝四時に羅南駅を出発します。それにあなたたちが乗れるよう、私が駅長に取り計らってあります。彼は私の友達なのです…」

伍長はポケットの中を探った。

「これは駅長への言付けです。すぐに避難して下さい」

母は言葉を失っていた。まだ完全に目が覚めていない私でも、何か恐ろしいことが起こっているのが分かった。松村伍長は私を見た。蝋燭の明かりで、傷のある顔は赤味を増し、恐れおののいているように見えた。伍長は私のあごに手を触れて微笑むと、おでこに唇をあて、「君のことを忘れないよ」と言った。そして、

「私は再び出征するように命令されています。どこへかは分かりません。今まで本当にいろいろお世話になりました」

そう言って深く礼をした。帰ろうとする松村伍長を私は呼び止めた。勉強部屋へ走り、〝武運長久〟と書いてある半紙を掴むと、素早く巻いて急いで戻った。

「どうぞこれを持って行って下さい」

伍長がそれを広げると、母はそれを読めるように蝋燭を近くに持っていった。

「ありがとう。自分も皆さんのご無事を祈ります」

そう言い残して暗闇の中に消えていった。

「お母様」

好が呼んだ。

「お母様と小っちゃいのは先に行って。私は残ってお兄様を待つわ」

「駄目よ、私たちは一緒に出発しなきゃ」

母は、きっぱりと決断したが、声は震えていた。

「好、お父様に書置きを残して。私は淑世に書くわ。小っちゃいの、冬物のコートを着なさい」

「えっ。冬物のコート?」

私は疲れと睡眠不足でとても不機嫌だった。

「言う通りにしなさい！」

母は命令した。

「そして、ありったけの水筒に水をいっぱい入れなさい。分かった？」

母がそんな風に荒々しく私に話したことなどそれまで一度もなかった。

私が部屋へ戻ると、好は薄明りの中で父に置き手紙を書いていた。私は原稿用紙と鉛筆を集めた。

「そんな時間はないのよ」

と言った好の声は、悲鳴のようにも聞こえた。

「早く水筒に水をつめてきなさい」

私はふらつく足で六個の水筒を台所へ引きずっていった。頭はくらくらしていた。そんな私を見兼ねた好は、私から水筒をさっと引ったくると、台所のポンプへ急いだ。私は避難袋を取りに玄関へ歩こうとしたが、ふらふらしていてまるで荒れ狂った海の船に乗っているようだった。好が私の手を掴み、玄関へ引っ張っていくと、そこでは母がすでに大きな風呂敷きを担いで私たちを待っていたのだった。

第二章　擁子の章（二）

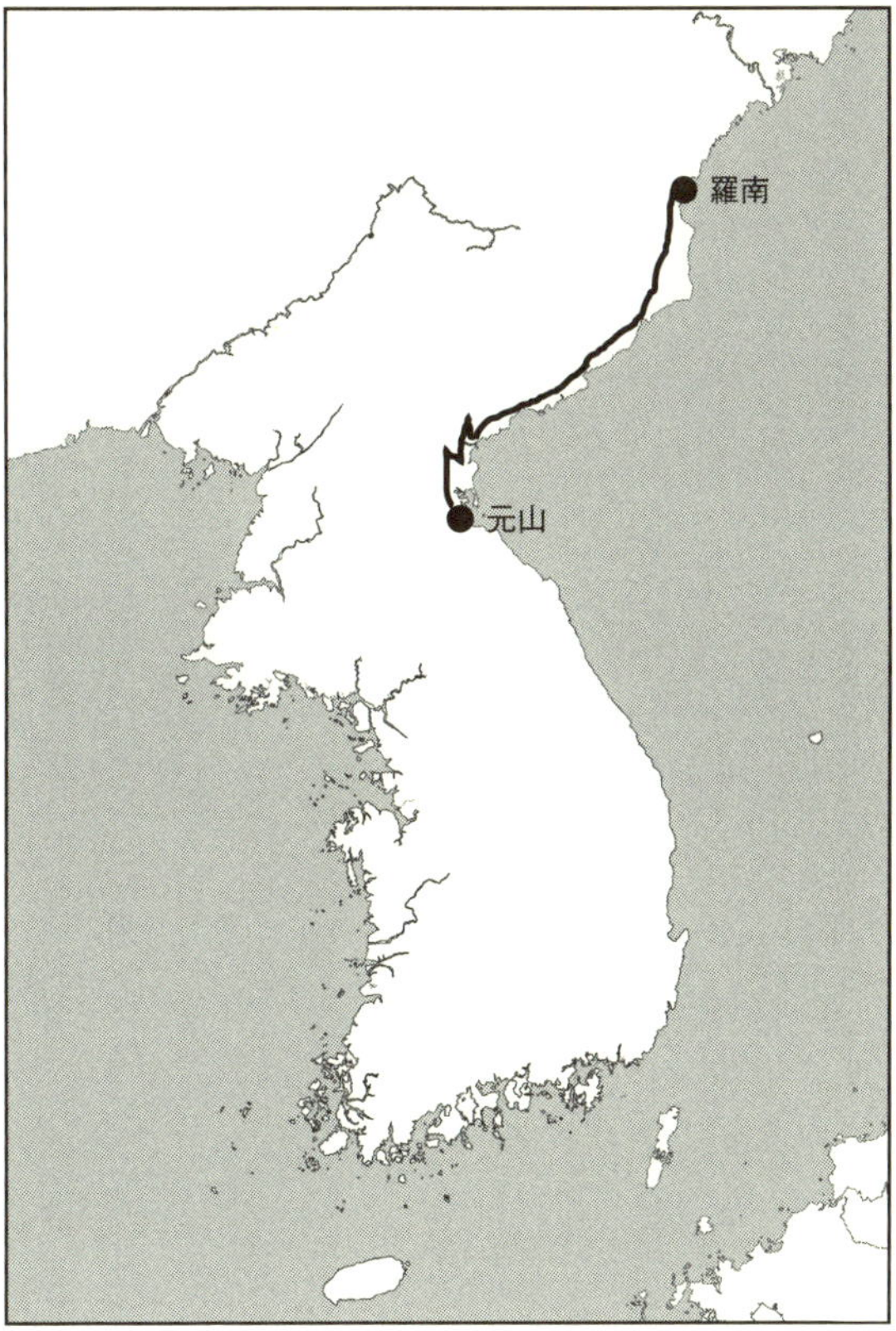

羅南駅への道のりも、いつも父を迎えに行くのとは違う気分だった――

私たち三人は駅まで一番近い川沿いの道を歩いた。大きな窪みが幾つもあり、私がそれにつまずいて転ぶ度、母が手首を結んである細引きをぐいと引っ張って起こしてくれた。細引きが手首を擦り痛かった。私は恐怖のあまり吐き気をもよおした。

「気分が悪いよぉ……」

私は半泣きで言った。

「静かに」

母はじっと立っていた。

「何か聞こえるわ」と母はささやいた。耳を澄ますと遥か遠くに軍隊の足音が聞こえた。

「ソ連軍が上陸したのかしら?」

母は言った。

「アヤメの茂みに隠れましょう」

好の言葉に、私たちは雑草や小石で体をすりながら急斜面の土手を滑り降りた。

私は土手にぴったりと這いつくばった。母は荷物を地面にすべらせ、私のそばに横たわった。

行軍の音はだんだん大きく聞こえるようになった。好は頭を上げると、

「川に向かっているわ」

と言った。私が母に近づくと、母は私を抱き込むようにして腕を回し引き寄せた。私の心臓は大きな音を立てていた。

兵隊が叫んでいるのが聞こえたが、流れの速い川音でその声はかき消されてしまった。彼らがさらに近づいて来るのが声で分かった。

「イル（一）、イー（二）、サム（三）、サー（四）」朝鮮語の力強い掛け声であった。

「イル、イー、サム、サー」

彼らは私たちのすぐそばまで来ていた。私は身じろぎひとつしなかった。

「彼らはきっと反日朝鮮軍よ」

と好がささやいた。

「止まれっ！」と、また掛け声がかかった。

「全員川岸まで走れ！　敵を殺す訓練をする」

『敵』というのは私たち日本人のことだと、私にも分かった。彼らは大きな足音をたてながら、土手を駆け下りた。私は震えが止まらなかった。私をしっかりと抱きしめている母の腕も震えていた。部隊長は私たちのすぐ近くで敵の刺し殺し方や身の守り方を説明し、川や溝に死体を引きずり降ろす方法まで教えていた。

突然、私は吐いてしまった。すぐさま好が私の顔に覆いかぶさり、すぐ近くにいる兵隊たちに聞こえないようにした。続けて何度も私は吐きそうになり、その度に好は体を私の頭に押しつけた。

やがて、甲高い笛が鳴り、周りは急に静かになった。それから命令する声が聞こえた。

「全員泳げ」私たちは息を止め、行進の足音を聞いていた。「イル、イー、サム、サー」の掛け声がだんだん遠ざかっていった。私はほっとして、体中の力が抜けてしまった。母が私のリュックと水筒を持ち、私を川へ引っ張っていくと、口と顔を洗いなさい、とささやいた。母一人では重過ぎるからと、好は母の持っていた荷物を背負った。好のリュックは母が背負うことになった。

再び母の引く細引きを頼りに、私たちは道を歩いていった。

「急がないと」母はつぶやいた。

私は幾らか気分が良くなったものの、恐さのためぶるぶると震え始めた。私はすすり泣いた。

「お父様に会いたいよぉ！」

「歩きなさいッ！」好はきつい口調で言った。普段ならば羅南駅まで歩いて四十分の道のりである。私は父を迎えにいつもこの道を通っていた。しかし、今夜は、何時間も歩いているように思われた。もうこれ以上、空襲や地面にうつぶせになるような危険が起こらないようにと、祈った。

やがて、かすかな光が遠くに見えた。

「あれは駅？」

「そうよ」

好は答えた。そして、すぐに、

「黙って歩くのよ」

と厳しい口調で言った。姉は威張っている、と私は思った。

前方に見える光に私は安堵感を覚えた。多分あそこに着けば休むことが出来る。私は無理しても速く歩くことにした。

ようやく明々と電気が灯っている駅が視界に入ってきた。しかし、明かりに浮かんだその光景は私に強い衝撃を与え、眠気が完全にふっ飛んだ。そこには病院や軍のトラックがぎっしりと止まり、衛生兵や民間医療班が負傷した兵隊たちを担架でプラットホームへ運んでいた。松葉杖をついている人や看護婦に付き添われている人もいた。どっちを見ても、医療班が患者、老人、子供を助けるためにあっちへ行ったり、こっちへ来たりとあわただしくもみ合っていて、駅はごった返していた。

私たちは駅長を捜す母に引かれるまま、プラットホームへ移動した。母は駅長を捜していたが、私は二両の機関車がうなり、蒸気と煙を吐き出している悪夢のような光景から目が離せずにいた。列車は今にでも出発しそうだった。私たちは置いていかれるのだろうか？　私たちは乗れるんだろうか？　二両の機関車の後ろには貨車が見渡す限り長々と続いていた。

衛生班は患者を貨車の中へ運び込んでいた。人々は叫び声を上げていた。誰かを捜している声が聞こえた。妊娠している人が泣きながら、夫におじぎをしている姿が目に入った。ガーゼの寝巻きを着たもう一人の女性は青ざめていて、腕には赤ちゃんを抱いていた。夫らしい男性が、赤ちゃんの顔を覗き込み、彼女に話しかけると、その女性はすすり泣いた。彼らに近づくと、その男性が妻に話をしているのが聞こえた。

「くれぐれも気を付けろよ。家の事は心配せんでいいから」

彼女はただ何度もうなずいているだけだった。

母は駅長を見つけることが出来なかったので駅員に尋ねたが、その人も知らなかった。負傷者たちの間をかき分けていくときも、母は細引きをぐいぐい引っ張った。私たちの担いでいる荷物は人々に当たり、人々もまた私たちにぶつかった。担架の取っ手が以前憲兵に蹴られた肋骨に当たったので、私は痛さのあまり思わず大声を上げた。

それから私たちは駅長室へ行ったが、そこには駅長はいなかった。母は待合室をのぞいたが、そこもまた負傷兵や患者で混雑していた。血を吐いている男の人や気を失っている人、床に横たわっている人もいた。子供たちは泣き叫んでいた。老女は独り言を言っては大声で叫び、白い髪をむしり取っていた。この混乱の中で衛生兵が、患者の名前を聞いては、担架を運ぶ人たちに合図をすると、患者たちは、次々と貨車へと運び込まれていった。

「駅長さんは、どこにいらっしゃいますか」

母は必死に、そばにいた衛生兵に声を掛けた。

「向こうにいます」

彼の示す先に、ようやく捜していた姿があった。駅長は軍医の龍少佐と話をしていた。少佐が私たちに気づいたので、私たちは挨拶をした。

「乗車の許可をいただいているのですが」

そう母が言うと、朝鮮人の駅長は私たちをじろじろ見た。私はその視線の冷たさに身震いした。駅長は「病気のようには見えないが」と言い、「汽車は患者専用だ！」と言い放った。

「松村伍長からもうあなたにお話ししてあると伺っています」

「伍長の誰だって？」

わめき声や金切り声の中で、駅長は母の言った言葉が聞き取れなかった。

「松村伍長です。彼はあなたの友達だと言っていました」

駅長は私たちを再びまじまじと見た。私は望みが絶たれたように思われ、また吐き気をもよおしてきた。

「乗せてあげなさい！」と軍医が命令した。

「私はこの家族の知り合いです」

母が松村伍長からの言付けを思い出し、預かった紙をポケットから出して駅長に急いで差し出した。母の手は震えていた。それを読んだ駅長は、確認するように私たちを見回した。

「川嶋さん、息子の淑世、娘の好と擁子。息子さんは何処にいるんですか？」

「息子は今朝、動員で弾薬工場へ行きました」

「三人を汽車に乗せなさい。これは私の命令です。川嶋夫人には確かに息子さんがいます。息子さんはこの三人が陸軍病院に慰問に来たときに、一緒についてきたことがあります」

龍少佐の威圧的な態度に、やっとのことで駅長は私たちの乗車を認め、

「分かった。女性患者の貨車に乗りなさい」と疲れた声で言った。

好はホッとため息をついた。母は龍少佐に深々とおじぎをした。好と私もおじぎをした。この人の助言があったからこそ貨車に乗れたのだ。

私たちが女性患者用の貨車にたどり着いた頃には、プラットホームの人も少なくなっていた。母はやっと手首の細引きを解いてくれた。好は、プラットホームに荷物を降ろし、貨車の入り口に両手をかけると、力一杯に飛び上がって乗り込んだ。母は風呂敷包みを好に渡し、それから私に乗りなさいと言った。しかしどんなに高く手を伸ばしたり、飛び上がったりしても貨車に届かなかったので、両手を伸ばして好に引っ張ってもらった。私は、腕が肩から抜けるのではないかと思った。母が私の足を持ち上げて押してくれたが、両肩に掛けた水筒が貨車にひっかかってしまった。一旦、好は私の手を放し、母は私からリュックサックと水筒をはずして、プラットホームに置いた。もう一度、好が引っ張り、母が押し上げて、私の体はやっと貨車の中に転がり込んだ。母は、私と自分の荷物を好に放り上げると、貨車に両手をかけて飛び乗ろうとしたが、失敗した。

そのとき、発車を知らせる汽笛が三回鳴った。私は必死になって母の腕を引っ張ったが、母は重過ぎた。母はもう一度やってみたが、胸まで届くのがやっとだった。母が必死によじ登ろうとしていたちょうどそのとき、衛生兵と看護婦が近づいて来て母を貨車の中に押し上げてくれた。

私たちはやっとのことで貨車に乗り込んだ。助かったのだ。

辺りを見渡すと、貨車の中は真っ暗で、明かり一つ無く、機械油の臭いがした。初め、私は病人たちの顔が見えなかったが、次第に暗闇に目が慣れ、人々がむしろの上にきちんと一列に並んで寝かされているのが分かった。

病人たちの間には少しの隙間も無く、私は赤ちゃんを抱いている人と妊娠している人の間で、膝を胸につけて小さくなっていた。口をぽかんと開けて宙を見ている老女、苦痛でうめき声を上げる人、助けを求めて泣いている人などがいた。別の女の人は空中を手で探り、誰かにしがみつこうとしている。母が手を伸ばすと、彼女はしっかりとその手をつかんだ。その女の人は妊婦だったが、水を欲しがっていたので、私は自分の水筒を開け、小さな蓋に一杯だけあげた。

「自分の水を無駄にしなさんな」

好はささやいた。

「でも、あの人は喉が渇いていたのよ」

「その内、自分も喉が渇くよ」

好は無表情で言った。

列車の汽笛が一回鳴り、蒸気が勢いよく吹き出すのが聞こえた。すると、看護婦と衛生兵が貨車に飛び乗った。衛生兵が戸口にしっかりと太い縄を張ると、体を外へ乗り出し手を振った。汽笛がもう一度鳴った。

誰かが「貨車に空いているところがあるか。まだ、病人がいるんだ」と叫ぶ声が聞こえた。プラットホームは大騒ぎになっていた。貨車から衛生兵が答えた。

「あと三人乗れます」

三人の女性が貨車に乗せられた。二人は担架に乗り、もう一人は頭に包帯を巻いていた。彼女たちが乗ると、列車はゆっくりと動き出した。看護婦が注意事項を告げた。

「隅に二つの大きなたらいがあります。一つは小便用、あとひとつは大便用です」

他の隅には医療用の箱が積み重ねてあった。

列車はスピードを増していった。風は強く吹きつけ、空は淡いピンク色に変わり始めていた。

「すぐに家に帰れるんでしょ？」

私は不安を抑え切れず母に尋ねた。母は、この避難は一時的なものだから安心しなさい、と言うかのようにうなずいた。好は戸口まで行き入り口の縄をしっかりと握った。衛生兵が危ないから離れているようにと言ったが、好は「自分の家が見たい」とそこにいさせてもらえるよう頼んでいた。私も立ち上がり、好のところへ行った。風が体を吹き飛ばすほど強く吹いていたので、私は好にしがみついた。風の中で好はもうすぐ私たちの家を通り過ぎると教えてくれた。私は首を左の方に伸ばした。

「家よ！」

好は叫んだ。屋根の濃い赤茶色の瓦がかすかに見えた。だんだんと近づいて来る。見慣れた古い柳のてっぺんに、ラジオのアンテナが長い竹竿にくくりつけてある。ある夏の日に父と淑世が竹竿を取り付けていたのを思い出した。家も柳の木も朝もやの中でとても眠そうに見えた。列車は家や柳を通り過ぎた。少しでも長く見ようと、首を右の方へ向け身を乗り出した。赤い屋根、柳の木、ラジオのアンテナが遠く離れていき、そして視界から全て消えてしまうと、私は元の場所に戻った。母はハンカチで目頭を押さえ泣いていた。母は我が家を見ようとしなかったのだ。

看護婦と衛生兵が病人の検査をしていた。そばに来た衛生兵に、母は年齢を尋ねた。

「二十一歳です」

母の涙がまたこぼれた。私にも貴方ぐらいの年の息子がいる、と小さい声で言った。この言葉を聞いた私もまた、兄が空っぽの家に帰って来るのを想像して泣いた。

列車は南へと揺れていた。妊婦が水を求めてきたので、私は水筒からまた小さな蓋に一杯だけ水をあげた。好は患者に話しかけながら、ときどき彼らの顔を拭いていた。こうしてその日は過ぎていった。


夜になると、私はお腹が空いてきた。家を出てから何も食べていなかったので手探りで自分のリュックサックをあさったが、母に止められた。他の人もずっと何も口にしていなかったので、私一人が食べるのは不公平になってしまうからだった。暗闇が列車をすっぽりと包み込んだので、私はまるで飛んでいるように流れる景色を見ることが出来なくなった。荷物を足の間に置き、その上に頭を乗せて少し眠ろうとしたが、風の音と病人のうめき声に妨げられた。

再び朝の光を目にしたときにはうれしく思った。私は母に何か食べていいかと聞いたが母は首を横に振った。

「でも、お腹がペコペコなの」私は小声で言った。

「皆お腹が空いているわ」母は言った。そして、

「皆にあげる分はないの。明日には京城に着くわ。そうしたら何か作りましょう。水を少し飲んで我慢しなさい」

貨物列車は汽笛を三回鳴らし、もうすぐトンネルへ入ることを告げた。まもなく真っ暗闇になり、私たちは煙に包まれた。火の粉が飛んできて、私の腕や首筋に付き、息さえ出来なくなった。体中まるであらゆる方向から何千という針で刺されているようだった。咳をしたが、咳をすればするほどたくさんの煙が喉に入ってきた。胸はちくちくと痛んだ。息を止めたが、少し口を開けて息をした途端にひどいめまいがして、このまま死んでしまうのではないかと思った。喘ぎながら好を呼ぶと、自分の毛布で私を覆い、頭を床に押しつけた。意識が遠のいていた。

気がつくと、看護婦が私の頬を叩いていた。すでに貨物列車はトンネルを出ていて、目の前には母の姿があった。母の顔はすすで筋がついていた。好の顔も同じだった。

「気分は良くなった?」

好の問いかけに、

「喉がチリチリして、胸もちくちくする」私は小声で言った。

「これをなめなさい」

好は私の手の平に小さなものを置いた。

「何処でキャラメルなんか手に入れたの?」

それが何か分かったとき、私は驚いて小声で好に尋ねた。

「私ってすごい手品師でしょ」と好は笑った。

赤ちゃんを産んだばかりの人が、赤ちゃんを腕に抱えて座り、乳でいっぱいになったような乳房を出した。

「とってもいい子にしているわね」

彼女は誇らしげに言ったが、その声には元気がなかった。

「お腹が空いているんでしょ」

彼女は乳首を赤ちゃんの口元へ持っていった。赤ちゃんはぐっすり眠っていた。

「起きて、俊ちゃん。まんまの時間ですよ」

私は赤ちゃんが男の子だとやっと分かった。赤ちゃんの口と目はしっかりと閉じていた。突然、彼女は狂ったように赤ちゃんを揺さ振り始めた。小さな頭がぐらぐらと上下していた。

「目を覚まして！」

母親は叫んだ。衛生兵と看護婦が診断し、赤ちゃんの死を伝えた。衛生兵が持っていた名簿から赤ちゃんの名前に線を引き、遺体の始末をするから子供を自分に渡すように言った。

その母親は夫の名を呼んで助けを求め、衛生兵が子供を殺し、どこかに捨てようとしている、と金切り声をあげた。母は、優しくその母親の肩に手を置いた。彼女はしばらく母をにらみつけ、それからむせび泣いた。母は爪切りを取り出し赤ちゃんの爪を切った。私は赤ちゃんの指がこんなにも小さいとは知らなかった。母は赤ちゃんの髪の毛を一つまみ切って、ちり紙で包むと、その女の人に渡した。彼女はそのちっぽけな包みをつかみ、着物の胸元に押し込んだ。その人はすっかりおかしくなってしまったように見えた。

看護婦は死んだ赤ちゃんを取り上げようとしたが、彼女は必死に抵抗した。私はその小さな遺体をどうするのだろう、と不思議に思った。ちょうどそのとき、衛生兵が彼女から赤ちゃんを奪い取り、すぐさま貨車から放り投げた。そのちっちゃな体はほんの一瞬、人形のように空中をゆっくりと飛んでいき、すぐに見えなくなった。その母親の目は入り口に釘付けになっていた。やにわに彼女は立ち上がり、私につまずき、そして、速度を上げ走っている貨車から電光のような速さで飛び降りた。金切り声が空中で響いた。

「ああ！」

母は両手で顔をおおった。看護婦は何事もなかったように病人の診療を続けた。聴診器を胸に当て、心臓の鼓動がしてない患者の瞼を閉じていった。そして、死んだ患者の名前をはっきりと二回呼び上げると、衛生兵がその名前を名簿から消していった。衛生兵は立って好と私に場所を空けるように言った。看護婦は衛生兵が死体を入り口まで引きずるのを手伝い、そして、死体を外へ転がして落とした。母は目を閉ざし、顔を伏せて震えていた。

座る場所がたくさんできた。私は入り口のところまで行き、ロープをつかんで外を見ていた。すると他の車両からも死体が何体も放り投げられ、野原の方へ土手を転がって行った。看護婦は、これから衛生兵と二人で、患者たちの太ももに皮下注射をすると告げた。食糧不足だったので栄養注射が必要だった。私は看護婦に私にも注射をしてくれるのか聞いてみた。

「いいえ、あなたは健康でしょ」そう彼女は答えた。

私は空腹でお腹が痛かったので、母にほんのちょっとでいいから魚の干物を食べてもいいか聞いた。

「食べないと死んでしまうわ」

母がうなずいたので、私は自分のリュックサックを開けると、好も開けた。好は魚を細く割り、母と分け合った。私が食べていると、妊婦が私をじっと見つめているのに気づいた。

「お腹が空いていますか？」

私が声をかけると、彼女は弱々しくうなずいた。魚を小さく割き、気を付けて骨を取り、そしてそれを少しだけあげた。私は骨までも柔らかくなるまで噛み、それからゆっくりと飲み込んだ。

誰もが水を欲しがっていたが、私の水筒は空になっていた。母は数滴を手拭いに染み込ませ、患者にすすらせていた。ある女の人は小便桶まで這って行き、手を中に入れ、尿をすすった。

私は疲れ果てていた。列車に乗ってからというもの一度も横になれなかったが、今では私が体を伸ばすくらいの余裕がある。やっと横になれて気持ちが良かったので、私は眠ることにした。

隣に居る妊婦がうめき出した。私は寝返りを打った。彼女のうめき声は定期的にやってきた。

私が体を起こすと、

「横になりなさい」

と母は言った。

「気にしなくていいのよ、眠りなさい」

そう言われてまた横になると、突然、背中に生ぬるいものが流れてきた。私は母に、女の人がおもらしをした、とささやいた。母は、私に何か言おうとして止めた。私は寝返りを打った。またうなり声が聞こえた。衛生兵と看護婦が妊婦の側にいたが、うなり声がとてもひどかったので、彼らが麻酔なしで手術をしているに違いない、と私は思った。

再び、肩に温かい物を感じた。それは安物のむしろから染み出ている血だった。新たなうめき声がした。看護婦は、その人に大声を出して力むように励ました。そのとき、突然、赤ちゃんの産声が響き渡った。男の子であった。私は起き上がり、濡れたブラウスは気持ち悪いので着替えようとすると、母が止めた。

「今はだめ。京城に着いたら銭湯を探しましょう」

私たちの水筒はもう水が一滴も無かった。看護婦が赤ちゃんを桶まで連れて行き、尿で体を洗った。それから彼女は母親の荷物から産着を出して着せ、母親の腕に抱かせた。疲れ切っていたが、彼女は弱々しく赤ちゃんに笑いかけると、二人とも眠りに就いた。もう太陽はほとんど沈んでいて、空気は冷たかった。

「あなたの毛布を新しいお母さんと赤ちゃんに掛けてあげなさい」母は言った。

「いやよ」私は反抗した。

「血で毛布を汚されたくないもの」

「擁子！」

母が、私を名前で呼ぶときは怒っている証拠だ。

「好は他の患者さんと自分の毛布を分け合っているのよ。あの新しいお母さんだって寒くて震えてるでしょう。掛けてあげなさい。今すぐ！」

私はしぶしぶ自分のふわふわした毛布をその女の人と赤ちゃんに掛けてあげた。すると母となったばかりの女の人は目を開けた。

「ありがとう。寒かったんです」

彼女は弱々しい声で言った。


しばらくして、汽車は速度を落としていき、そしてまもなく止まった。京城に着いたのだと思った。私はすでにコートを取り、女の人と赤ちゃんから毛布を取り戻していた。衛生兵が縄を握って乗り出していた。

「ここは京城なのですか?」

私の質問に彼はすぐには返事をしなかった。やがて頭を引っ込めて、ぞっとするような視線で私を見た。

「自分の場所に戻って。横になりなさい」

そう彼は命令的に言うと、看護婦に話しかけた。

「共産軍の兵隊たちが車内を点検しているのだ!」

彼は乱暴に私を血の付いた床に投げ倒すと、好を掴み、横になるように言った。看護婦は小便桶のところまで走り、胎盤をつまみ上げ、尿が滴る胎盤を好のお腹に乗せ、彼女は大きな敷布で好を覆うと「動いちゃだめだよ」と早口に言った。

母は訳が分からず、衛生兵に何が起こっているのかを尋ねた。

「面倒な事になるかもしれない」とだけ彼は答え、母にも横になるように言った。

やがて看護婦と衛生兵はおかしなことをし始めた。血で汚れた私のブラウスを脱がし、母と好の顔をそれでこすった。看護婦は母の髪をほどき、むしろに広げると、私に汚れたブラウスをもう一度着て横になるように言った。「早く！」衛生兵は入り口から外を見ていた。

「ここは何処ですか？」

母は看護婦に小声で聞いた。

「元山《げんざん》（ウォンサン）です。石炭と水の補給のために止まりました。これは赤十字列車だから供給してもらえるのです。しかし共産軍たちが乗り込んできます」

すると、彼女は母の方へ体を伸ばしささやいた。

「あなた方は私たちを助けてくれました。心配しないで下さい。今度は私たちがあなた方を助けますから」

「来たぞ」

衛生兵は小さな声で言った。

「動かないで！」

まもなく大声と共に二人の共産軍が跳び乗って来た。

「ここにいるのは全員、病人か？」

一人が下手な日本語で聞いた。

「そうです」

衛生兵は答えた。

「我々は健康な日本人を捜している。中年女性で、十六歳と八歳ぐらいの少女と、十九歳の青年を連れて羅南から乗ってきた者だ。名前はカワシマ」

　衛生兵は私たちの方は見なかった。

「ここにそのような人はいません。ここにいるのは全員、女、子供です」

「病人の名簿を見せろ」

　共産兵が命令した。別の共産兵が、銃の先で突つきながら、病人の間を歩いていった。私の歯はガチガチと鳴り、心臓はドキドキしていた。その兵士は私の横っ腹を突いた。

「この子はいくつだ？」

「六歳です」

　看護婦が返事した。

「この子はひどく背中を怪我しています」

　私は六歳じゃないと口を開こうとした、正にそのとき、人生で一度だけ口を閉じていなさいと、虫が知らせた。彼は敷布の下で横になっている好の横で止まり、子供を産むところかと聞いた。

「すぐにも産まれる状態です」

　看護婦は言った。

「この女は何歳だ？」

「二十二歳です」

「この老女はどうしたのだ？」

　それは母の事だった。

「天然痘です。この人から離れて下さい」

彼らは私たちの貨車から急いで飛び降りた。次の貨車によじ登っているのが聞こえた。母と好と私を捜し出すために……。衛生兵は、列車が再び動き始めるまでは決して動いてはいけない、とささやいた。母は彼に私たちの水筒に水を詰めてくれるように頼んだ。彼は水を入れてきてくれ、他の病人たちにも水をあげた。

「ああ。水はとても美味しいわ」と好はつぶやいた。

看護婦は便器用の桶を空にし、掃除をしてくれた。

列車が再び動き出したとき、どれほどほっとしたことか!

私は起き上がり、小さな赤ちゃんを見た。赤ちゃんはむずがり泣き始めた。母親は赤ちゃんに授乳しようとしていたが、お乳は出なかった。母は「不安と恐怖のせいでしょうね」と言った。赤ちゃんは凄い勢いで泣き、ほんの数回だけ乳首を吸うと、また空腹を訴えた。新米の母親は哺乳瓶を持っておらず、一口水をすすり息子の小さな口へ流してやった。

夜が更けていった。残酷で容赦ない風が吹き込んできた。私はコートを着て、新しい母親と赤ちゃんにまた毛布を貸してあげた。それから横になり、眠って京城までの時間を短くしようとしたときである、汽車が突然大きく揺れて止まった。

ブ~ン。グワン、グワン、グワン、グワン。飛行機が私たちの上を飛んで行った。ブ~ン。衛生兵は外を見た。

「先頭の機関車がやられた！」彼は叫んだ。

グワン、グワン、グワン、グワン。別の飛行機である。ブ〜ン。また爆発音がして列車が揺れた。看護婦も外を見た。

「ああ、どうしよう。もう一両の機関車も爆破されたわ」

好と私も外を見に行った。二両の機関車から轟々と炎が上がっていた。衛生兵や看護婦らは全員担当貨車から飛び降りて、前方に走っていく姿が、うなる炎の光ではっきりと見えた。彼らはすぐさま列車の前方、二〜三両の患者たちを避難させ始めた。病人を担架で後方に運んできた。看護婦と一緒に安全な場所へと走っている怪我人もいた。母は助けに行くと言い、好も行くと言った。勇敢に貨車から飛び降りる二人に、「私も行く」と叫んだ。

「駄目、擁子はそこにいなさい」と好が言った。

「誰かが擁子の助けを必要とするかもしれないでしょ」

私は辺りを見渡した。患者は皆、油だらけでいやな臭いのする暗い貨物列車の中で、幽霊のように青ざめていた。誰かがむせび泣き始めた。私はとても心細くなり、母や好が早く戻ってくるよう祈った。衛生兵と看護婦たちは病人を私たちの貨車にも運び込んだ。母や好は、歩ける人たちを誘導していた。まもなく貨車は一杯になり、今度は男の患者たちも乗り込んできた。

病人を運び終えた衛生兵と看護婦が戻って来ると、赤十字社がすでに別の機関車を要求する電報を打ったが、それがいつ来るか分からないと、母に告げた。

「赤十字をつけた列車や船を攻撃してはいけないことになっている。それが決まりなのに……」

衛生兵は憤慨して付け加えた。

「私たちは今何処に居るのですか?」

母が聞いた。

「京城から七〇キロ離れたところです」

「もし、歩くとしたら危険ですか?」

「私たちと一緒にいるよりは安全でしょう。誰かが、あなたたちがここにいると密告するかもしれないから」そう衛生兵が答えると、

「南の方へ線路伝いに行くといいでしょう」と看護婦も言った。

私たち三人は貨車の病人たちに別れを告げた。私は持っていた干し魚と乾パンと干し大根を赤ちゃんの母親に渡すと、好も、「栄養が必要ですからね」と言いながら、水の一杯詰まった水筒を手渡した。赤ちゃんは泣いていたが、その母親は私の手を取り離さなかった。

「ありがとう」

「赤ちゃんをお大事にね」

母の言葉にその女性は涙を流しながらうなずいた。

まず好が列車から飛び降りた。母は大きな荷物を地面へ落とし、衛生兵の助けを借りて飛び降りることができた。私は、好と私のリュックサックと水筒を投げた。貨車の端に立ったとき、どんなに高いかを思い知らされた。

「跳び降りるのよ!」

こう叫んだ好は、もう既に母の大きな風呂敷き包みを背負っていた。衛生兵が手を高く伸ばしてくれた。私は目を閉じ、顔から落ちて鼻をへし折らないように祈りながら、体を前に傾けた。衛生兵の腕の中に無事に受け止めてもらった瞬間、お腹がとてもくすぐったかった。母は看護婦に何時か尋ねた。午前三時だった。私たちは心から感謝を込めて、衛生兵と看護婦に深々とおじぎをした。

歩き出して、燃え盛る機関車の横を通ると、激しい熱が伝わってきて、分厚い鉄の骨格は今にも溶けるかのように真っ赤になっていた。入り口から機関士が黒こげになっているのが見えた。

「見るんじゃないの！」

好は強い口調で言った。

母は歩き続けた。羅南で列車に乗ったとき、健康だったのは私たちだけで、そして今、健康な体で列車から降りたのも私たちだけだった。私はこれから行こうとしている線路を見つめた。それは上弦の月明かりで不気味に輝き、前方へ延々と続いていた。好は京城へ向け、母に遅れないように私の手を引っ張った。

第三章　擁子の章（三）

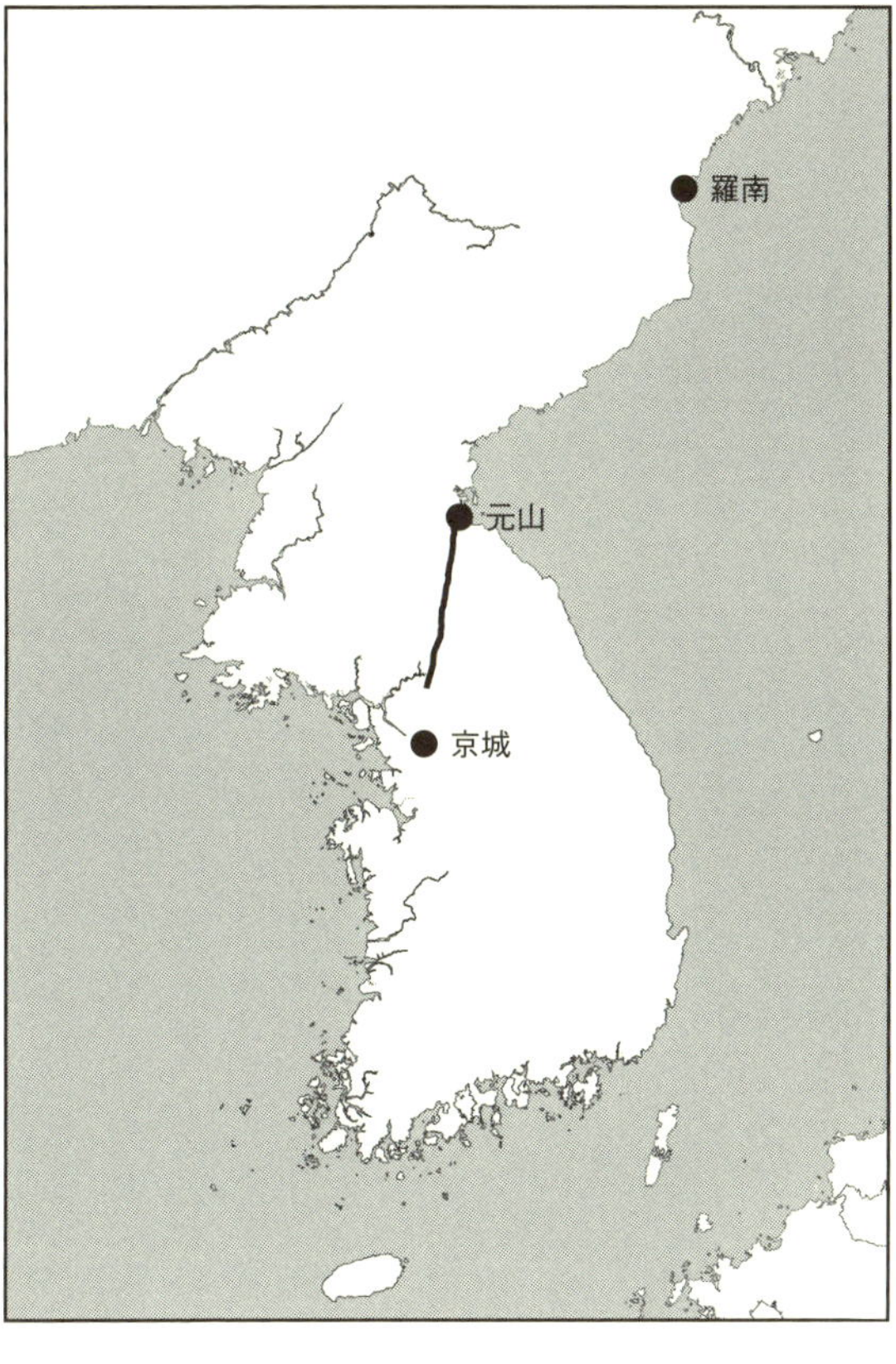

赤十字列車を降り、本格的に母子三人の逃避行が始まった――

私たちは歩き続けた。夜が明け始めると、母は、何とか線路から離れたところに茂みを見つけ、少し睡眠を取らなければ、と言った。そして、日中は捕まらないように隠れなければいけない、とも付け加えた。大きな茂みを見つけた頃には、すっかり疲れ切っていた。三人は茂みまで這って行き、毛布にくるまって眠った。

私はひどい暑さで目が覚め、毛布を蹴飛ばした。最初、自分がどこにいるのかも分からなかったが、すぐに、茂みの中で眠っていたことを思い出した。太陽は明るく輝いていた。私は喉が乾いていたので、水筒を開けて水を小さい蓋に一杯飲んだ。もう一度、喉を潤すと、私は食べ物を探そうとリュックサックを開けた。そして、あの新しいお母さんと赤ちゃんに全部あげてしまったことに気づいた。好のリュックサックに手を伸ばすと、好は目を覚ました。

「お腹が減ったわ」

「ご飯を炊こう。薪を集めてきなさい」

そう言うと、好は自分の袋を開けて飯盒を取り出した。それから、米半合を取り、私の水筒に残っていた水を使って、手ごろな石を集めて火を起こし、ご飯を炊いた。四日目にして初めてわずかな炊きたてのご飯を口にし、母の飯盒に入っていた干し魚をほんの少し食べた。私はまだ空腹だったが、好は、何が起こるか分からないので米は節約しなければいけない、と言った。そのままそこで夕闇が私たちをすっぽりと包み隠してくれるまで待ち、そして再び線路の上を歩き出した。

時折、私たちは奇妙な音を聞くと、共産軍の兵隊ではないかと恐れた。そんなときは走って線路から離れた。背中の上で跳ねているリュックサックと水筒を背負いながら、私が窪みや雑草の小山でつまずくと、その度に母は私の腕を掴み、起き上がるのを助け、もはやこれ以上歩けなくなるまで、私を強く引っ張り続けた。転んだときに顔をひっかいたので血が止まらなかった。

鉄道から外れた道を通らなければならないときは、たびたび道に迷った。そんなとき、線路を見つけるために前方を偵察したのはいつも好であった。

次の七日間も夜だけ線路に沿って歩いた。汽車は全然通り過ぎないし、私たちが乗ってきた赤十字列車も通らなかった。朝が来る度に茂みを探して休み、夜を待って旅を続けた。

私の足は感覚を失っていた。

「これ以上、歩けないわ」

私が泣き言を言うと、好は、

「歩かなければいけないの！　黙って歩きなさいッ」

と、ぶっきらぼうに言った。姉は近頃とても威張り散らすようになってきた。

八日目の夜、私たちは鉄橋にたどり着いた。ずっと下の川を見下ろすと、その橋は、この間私が飛び降りた貨物列車の床から地面までの百倍も高いように思えた。遥か下を流れる急流は唸るような音を立てていた。

私たちはじっと立っていた。月明かりしかない夜に、私は鉄道の枕木を歩いてそんな高い橋を渡り切ることなど無理だと思った。好は突然、地面に横たわり耳をレールに当てると、長い間その姿勢で聞いていた。

「何をしているの？」

と母が聞くと、

「汽車が来るかどうか振動を聞いているの。まだ来ないみたいだから、今のうちにこの橋を渡らなくちゃ」

好は答えた。

私は既にめまいがしていた。枕木を見ると間隔が非常に離れていた。私は、

「川へ落ちてしまいそう。泳ごう」

と言ったが、好は首を振った。好と私は泳ぐのが得意だったが、流れは急過ぎた。その上、母は泳げないのだ。

「でも汽車が来るかもしれない」

私は負けずに言った。

「さっさと歩けば、汽車が来る前に渡れるよ。それに明日の夜も明るいという保証はないわ。月が陰って良く見えないかもしれない。行こう」

好は先頭を切って進んだ。まるで滑らかな道を歩くかのように簡単に枕木の上を歩いていく。

私は母の手にしがみつき、膝は震えていた。母が一歩進む毎に、私も一歩進んだ。そしてまた一歩。私は唸りを上げる下の川を見ないようにした。しかし、もし足元を見なかったら、枕木の間から落ちてしまうかもしれない。そして、もしかしたら、水筒とリュックサックが引っかかって、枕木の下に宙ぶらりんになるかもしれない、と思った。

好は歩き続けていた。ときどき、私たちがどこにいるのか振り返って見ながら、歩みを早め、もう少しで渡り切るところまで行った。

「お姉様は意地悪だわ。先に行ってしまうなんて」

私は母に、ぶすっと、ふくれて言った。

「好はあなたにとって素晴らしいお姉様よ。私は好がいなかったらどうやっていいか分からないもの」

「お母様はいつもお姉様の味方をする。私はお姉様が大嫌いになってきたわ」

母は私を横目でちらりと見た。その顔は厳しかった。

「よくも、擁子はいいお姉様のことをそんなふうに言えるわね」

私たちはもう一歩進んだ。そしてもう一歩。

「くらくらするわ」

そう言うと、私は両目を閉じて立ち止まった。

「半分は渡ったわ。さあ、あともう少しよ」

母が私に言い聞かせたが、それでも私は母にすがりつき、川へ転げ落ちるような気がして怖くて動けなかった。

そのとき、好は、

「そこにいなさーい！」

と大声で叫んだ。

好はまるで縄跳びをしているかのように枕木の上を跳ねながら戻って来た。荷物は背負っていなかった。私たちのところまで来ると、くるりと向きを変え、

「おんぶしてあげる」と屈んだ。

私は好の背に身を預けると、両腕を組んでその首にしっかりとつかまった。

「喉を締め付けないでよ。小っちゃいの」

と言って好は咳をした。私は顔を母の方に向けると、母の笑顔は、それ見なさい、と言っているようだった。

私はこのとき、好を意地悪な姉だと言ったことを、とても後悔した。そして好に大好きだという気持ちを伝えたくて、頭を好の肩にもたれかけた。

何とか私たちは無事に橋を渡り切った。家を出てからは風呂に入っていなかったので、母が川で行水をしようと提案し、私たちは茂みを探して荷物を隠した。

好が最初に行水をした。髪を乾かしながら戻ってきて、

「ああ、さっぱりした。生き返ったわ」と言った。

母と私は川へ降りていった。まず、母は私の頭を川の中に浸け、髪を石鹸で洗い、濯いでくれ

た。それから母が背中を流してくれたので、私も母の背中を流した。そして、二人で血が染みついた服を洗った。上流では好が水筒を一杯にしていた。

体を洗ってさわやかになったので私は一眠りしたかったが、私たちは濡れた服をリュックサックの後ろでパタパタとはためかせながら、体力が続く限り進み続けなければならなかった。

夜が明けると、遠くで飛行機の音がし始めた。私たちは線路から離れて森の中に隠れた。日中はそこに留まろうと決めた。私はとても空腹だったが、母が「疲れていて何も作れないし、どちらにしても飛行機が飛んでいるときは火を起こさないのが一番いいわ」と言ったので、私たちは眠ることにした。

私たちが眠りかけると、ちょうど真上を飛行機が通り過ぎていった。慌てて森の奥深い茂みに入り込んだ。すると遠くで爆発があり、同時に空が真っ赤になった。

線路から外れていたため、私たちはどこにいるか、目的地までどのくらい離れているのかまったく分からなかった。柔らかいコケが広がっているところを見つけたので、そこに留まってゆっくりと休息しよう、と母が言った。

私は丸一日寝た。昇ったばかりの太陽が、木々の間からやさしく照らし始めた頃、好は小さな火を起こし、母はご飯を炊いた。どんなに私は新鮮な野菜と美味しいお茶を恋しく思っただろうか。今なら、ずっと嫌いだった人参でさえ食べることが出来る。このとき、私は淑世の言葉をはっきりと思い出した。

「いつかこの人参があったら、と思うときが来るぞ」

私たちがほんのわずかなご飯を食べ終えると、好は私のお椀に少しだけ水を注いだ。それでお椀を濯ぎなさい。でも水を捨ててはいけないよ、と言った。そして私のお椀から自分のお椀へ水を空けて濯ぎ、母に水を渡した。母はほんのすこし水を飲むと、私と好が飲むようにと残してくれた。


私たちが後片づけをしていると、どこからともなく突然、三人の共産兵が、私たちの前に立ちはだかった。私たち三人は恐怖で身動きできなかった。

「立て」

一人の兵隊がどなった。彼は私たちに銃を向けていた。他の二人も同じであった。私たちは立った。私は母の方に近づいた。

「動くな！」

と彼らは怒鳴った。

私の口は乾いてしまい、膝がガクガクとして、立っているのがやっとだった。

「ここにあるのは何だ？」

「私たちの所持品です」

好は北部なまりの朝鮮語で答えた。

兵隊は三人とも好を見ていた。

「お前はいくつだ」

好は答えなかった。

「今夜楽しむには、丁度いい年頃だな」と一人は言った。

「お前たちは所持品を全て……」

兵隊の言葉が終わるか終わらないうちに、飛行機の爆音が聞こえ、私たちの頭すれすれに飛んだので、よく訓練されていた私たちはすぐに地面に伏せた。

ドカーン！

爆弾が近くで破裂した。私は遠く吹き飛ばされたようだった。目の前が真っ暗になり気絶してしまった。


誰かが乱暴に私を揺すったので、私は目を覚ました。母は何かを言っていたが、何も聞こえなかった。母の髪は血まみれで、汽車にいた赤ちゃんを失った女性のように、私を揺すり続けていた。好に目をやると、好の唇が動いていた。

「聞こえない」

と私は言った。胸に激しい痛みが走った。無意識にそこに触れると、温かさを感じた。手を見た。血だった。

耳を軽く叩いてみたが、何も聞こえず、完全な静けさに包まれていた。兵隊…飛行機…爆発…。

私は大声で、

「兵隊たちはどこにいるの？」

と聞いた。

好の唇から「死んだ」と読むことができた。それから好は私のリュックサックを探して、紙と鉛筆を取り出してこう書いた。

「しゃべらないで。また兵隊に見つかるかもしれないでしょ。擁子の怪我はそれほどひどくないよ。爆弾の欠片が皮膚をちょっと焦がしただけだよ。私の耳もまだよく聞こえないの。擁子のも元に戻るわ」

好は自分のリュックサックを開けて、シュミーズを取り出し、私の胸に巻いた。母は私に毛布をかけて頭をなでてくれながら、涙を私の顔にぼろぼろと落とした。私はそれを拭う気力もなかった。いつしか私は眠りに落ちていった。

再び丸一日寝ると、次の日の朝早く、私は母に起こされた。まだ母が何を言っているか聞こえなかった。まるで両耳に厚い綿を詰められているようだった。

次の瞬間、好の姿を見た私は、その姿に驚いた。好は共産軍の軍服を着、豊かな長い黒髪は剃り落とされていたのだ。同時に、母も軍服を着ているのに気づいた。死んだ兵隊の物だと、気づくまでに時間はかからなかった。

母は私を正座させ、小さなハサミで私の髪を切った。私は、

「頭を剃らないで」

と頼んだ。

好は「共産軍の兵隊から身を守るためよ」と書いた。

私の髪が短くなると、好は水を少し頭にかけ、石鹸をつけた。

「坊主になりたくないよぉ」私は泣きわめくと、

「じっとしていなさい」と書いた。そして、まるで「あんたは甘やかされすぎよ」と言うような目つきで私を見た。

母はどこからか先祖からの大切な家宝である短剣を出した。私の頭を押さえた母の左手が、震えているのが分かった。鋭く薄い刃は私の頭の上を滑らかに滑り、私はしくしく泣いた。ふと私は、

「短剣はどこにあったの」

と涙声で聞いた。母は懐を軽く叩いてみせた。

母の唇が「終わった」と動いた。そして、注意深く薄い刃を拭くと、さやに収めた。それから細長い短剣を自分の前に差し出して丁重におじぎをした。好が小さい鏡を私の前に差し出した。私は覗こうと好の手をかざした。頭は悲惨な有様だった。好は私に微笑んだが、私は怒りで歯を食いしばり、空の水筒をつかむと、思いっ切り強く地面に投げつけた。

母は私に死んだ兵隊の軍服を着るように言った。私が、

「死んだ人間の服なんか脱がせたくないわ」

と言うと、

「私がもう脱がしたわ」

と好が言い、私に軍服を手渡した。それは汗とタバコの強い臭いがした。好は袖とズボンを巻

き上げ、私が着るのを手伝ってくれたが、それでも軍服は大き過ぎた。

私たちのすぐそばには、爆発の際に地面にすぐ伏せなかった三人の死体が、軍服を剥ぎとられて転がっていた。

私たちは自分の衣服を畳み、それぞれの袋に詰め、全部を片づけると、歩き始めた。

「昼間でも歩かなければいけないの?」

と私がぐずって言うと、

「いいのよ。軍服を着ているから」

と好はその理由を教えてくれた。

空腹の私にとって、リュックサックはとても重たかった。一歩歩く度に臭いごわごわした軍服が胸の傷を擦った。私は毛布を運べない、と鼻を鳴らした。

「鉄を背中に背負っているみたい」

「よこしなさい」と好は言った。

好は私の血の付いた毛布を巻き、自分の荷物に加えた。そして、

「あなたの布団はこれしかないのよ」

と言った。

それから何日も何日も、私たち三人は線路を歩き続けたのだった。

第四章　淑世の章（二）

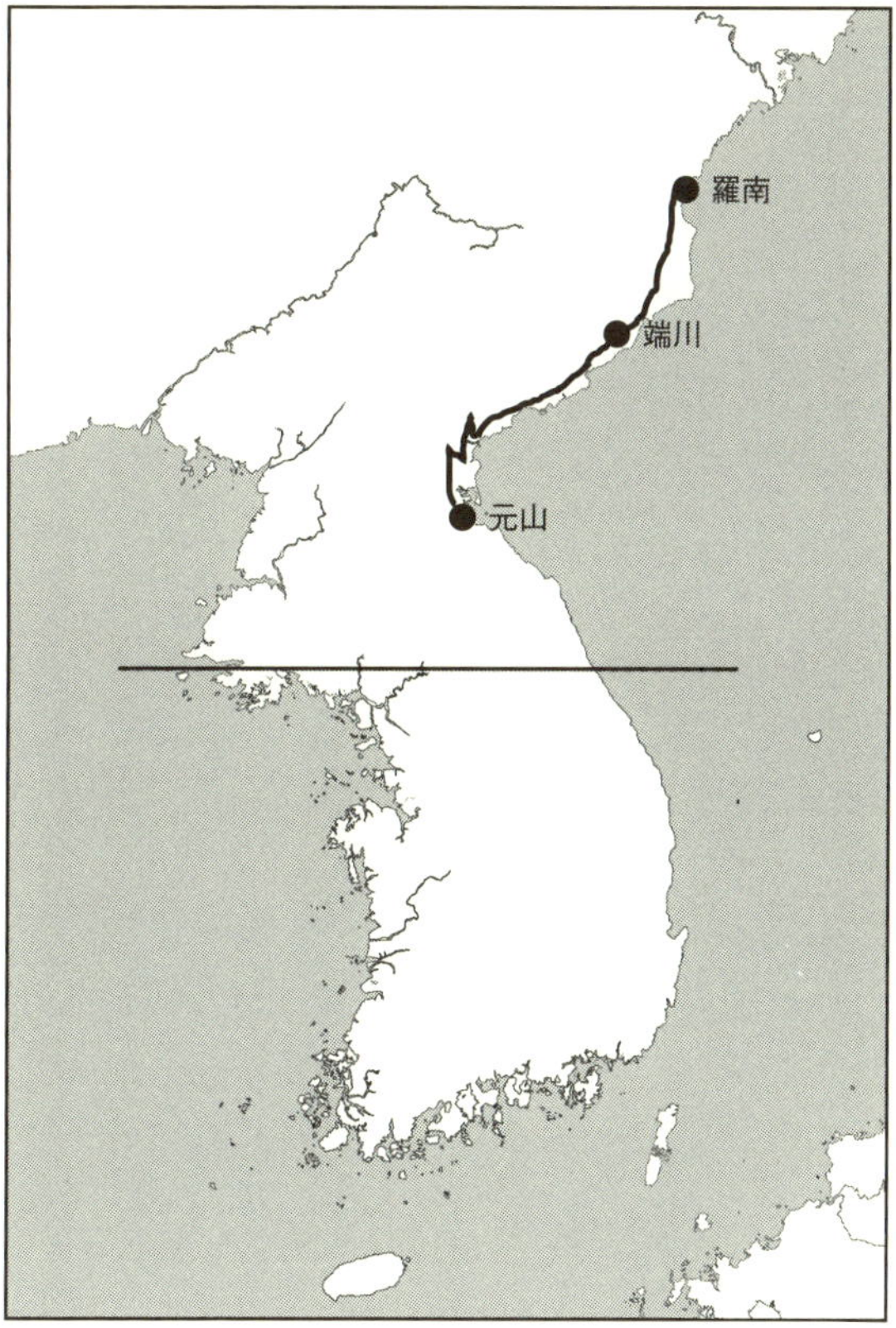

そのとき兄・淑世は羅南の弾薬工場にいた――

そのとき淑世は、羅南出身の三人の級友と、組み立てられた銃を内側が金属張りの分厚い木箱に詰める仕事をしていた。弾薬工場へ来て五日目のことだった。

正一が大きく伸びをして、「休もう」と言った。これは、便所に行って煙草を吸おうという意味だった。

「行って来いよ」

淑世は煙草を吸わなかった。正一、誠、眞蔵の三人が便所に消えたちょうどそのとき、突然、共産軍の兵隊たちが工場に入ってきた。そこで働いていた人々は、すぐさま隠れようと慌てふためいたが、広いばかりの工場内には、隠れる場所などほとんどなかった。淑世は、本能的に前にあった大きな空箱に飛び込んだ。箱の中からそーっと周りを覗うと、数人の労働者が見えた。級友の泰男が銃をとり、弾を詰め、発射した。すぐさま、兵隊たちは反撃した。

ダダダダダダダダ…。

泰男は倒れ、血がどくどくと流れた。脇にいた誰かが、何か重そうな物、おそらくは荷物の入った箱を、兵隊に投げつけた。また、敵の銃が響き、淑世の隠れている箱の周りで、人々の倒れる音がした。銃の発射音で一瞬、聴覚を失った淑世は、出来るだけ箱の隅っこで、なるべく小さく身体を縮めて息を殺していた。静かだった。不気味な静けさだった。

「動くな！　撃つぞ」

と下手な日本語で命令する声がした。朝鮮人だ、と淑世は思った。

「整列しろ」という声に、しぶしぶ工場の前方へ行く足音がした。

「手を上げろ」

淑世の心臓はもう少しで止まりそうだった。誰が殺されたのか。誰が捕まったのか。ここで働く学生は皆、軍人になりたくてもなれなかったが、国のために一生懸命働いてきた。家族と離れ、つらいことがあってもユーモアで紛らわせ、最善を尽くそうとしていた良き仲間たちだった。

便所に行った正一、誠、眞蔵はどうなっただろうか。兵隊たちはそこも調べたに違いない。淑世が隠れていた箱は、便所の戸に面していた。多分、彼らは淑世の姿も見ている筈だ。

「歩け。外へ出ろ」

木の板を通して有無を言わせぬ厳しい口調が聞こえた。

「我々は捕虜を収容所まで連れていってから、これらの弾薬を運び出す。死体を全部調べろ。もし、まだ息をしていたら殺せ！」

「はっ。隊長」

淑世は体を少し前に出した。泰男の体は、淑世が触れるくらい近くに倒れていたので、淑世は用心深く体をのけ反った。自分の顔や手や服に泰男の体から流れ出している血を塗りつけた。淑世は箱の中に戻り息をひそめていた。

捕まった人々や兵隊が工場から出ていく足音がしたが、残って死体を調べている兵隊たちもいた。その一人の足音が淑世に近づいて来た。ただの軍靴だけが見えた。体中に血を塗りつけた淑世は目を閉じ、死人のように倒れていた。

ダダダダダダダ……！

銃が鳴った。誰かがまだ生きていたのだ。淑世の前にいた兵隊が、泰男を蹴った。それから、淑世の腕を見て、それを蹴り、持っていた銃の先で淑世の顔や脇腹を突ついたが、淑世はうめき声一つあげず、死んだふりをして倒れていた。

やがてその男が便所の方へいくと、戸を蹴破る音がした。淑世はじっと息を殺していた。

「ここには誰もいません、隊長」と兵隊が伝えた。

「残りは全員死んでいます。隊長」

「鍵を閉めろ」隊長はそう言うと、

「武器を外へ運び出し、ダイナマイトを持ってきて、すぐ建物を爆破しろ」と続けた。

淑世は、隊長と最後の兵隊たちが部屋から去るのを聞いたが、それでもしばらくは動かないでいた。工場の戸がバタンと閉まった。静かだった。淑世は泰男の体をじっと見つめながら待った。そして何も聞こえなかったことを確認すると、用心深く箱から出て、泰男の体の上を這った。至るところ死体だらけだった。吐き気と恐怖におののきながら、死体や血の間を這っては止まり、聞き耳を立て、そしてまた這っていった。便所の戸までやっとのことで行くと、頭で押し開けた。錆びた蝶番がキィーキィー鳴った。

「誠？」

淑世はささやいた。応答はない。四つの戸は、全部閉まっていた。淑世は立ち上がった。

「正一、眞蔵、誠、俺だ。淑世だ」とささやいた。三つ目の便所の戸がわずかに開いて、誠がそっと顔を覗かせた。

「お前、生きていたのか」彼は震えながら言った。正一と眞蔵も体を震わせながら同じ便所から出てきた。二人とも顔は幽霊のように白かった。

「銃の音を聞いた」

唇を震わせながら眞蔵が言った。

「一緒に隠れていたんだ。誰もここまで捜しに来なかったんだ。誰が殺された？」

「泰男が、俺の目の前で殺された」

と淑世は答えた。

「他の人たちがどうなったかは分からない。だが奴等はここを爆破するつもりだ。一刻も早く逃げるんだ」

誠が窓から用心深く外を見た。

「捕まえた人を大通りの方へ歩かせている。みんなに銃を向けているぞ」

便所の隣にある二段ベッドの並んでいる仮眠室まで這っていき、四人は急いで自分たちの所持品をリュックサックの中に詰め込んだ。それから、再び便所へ用心深くゆっくり戻り、音を立てないように窓を押し開けた。幸い、兵隊たちは背中を向けていた。一人ずつ飛び降りると、一目散に工場の壁に沿って山の方に向かって走った。

それ程遠くへ行かないうちに爆発音が響いた。振り返ると、工場が爆発し爆煙が上がっていた。淑世は死んだ泰男のことを思った。


「もう昼だよ」

と淑世は時計を見ながら言った。

「山道を通れば明日の朝までには家に着けるよ」

青年たちは歩き始めた。突然、淑世は母と妹たちがどうしているかと心配になった。淑世は段々早足になり、仲間もその後に続いた。

疲れ切って、もう一歩も動けなくなるまで黙々と、歩き続けた。

「俺、腹へった。誰か、食べ物を持っとらんか」

誠の言葉に、我に返ったかのように、全員自分たちのリュックの中を探した。淑世のリュックには、細長く切った干し魚少々と、乾パンが残っていた。週末の午後に帰るはずだったので、母は六日分の食糧しか詰めていなかったのだ。彼らは木の根元に腰掛け、わずかばかりの食糧を分け合った。

「まだ腹へっている」

眞蔵が言った。

「キノコを探そう」

誠が提案した。

「うん、焼きキノコは美味しいぞ」

誠の提案に、正一も賛成した。

「いま何時だ？」

誠が尋ねた。

「五時だよ」

ちらりと時計に目をやって淑世は答えた。そして、

「おい。みんな、歩きながら探そう、一分一秒が大切だ」

夜が明けるころ、村外れの竹林の中に建っていた淑世の、そして私たちの家に着いた。

「いったい何があったんだ」

一目見るなり、淑世は叫んだ。玄関は壊され、勝手口の戸は開けっぱなしになっていた。四人は家の中に駆け込んだ。

「お母様！」

淑世が叫んだ。

荒らされた部屋を見渡し、誠が、

「共産軍の兵隊たちがここに来たんだ」と言った。

「俺も家へ行く」

眞蔵は叫んで飛び出していった。

「後で正一の家に集まろう」

淑世が皆の後ろから呼びかけた。

家があまりにも荒らされていたことに、淑世は大きなショックを受けたが、気を取り直して各部屋を注意深く調べた。客間の掛け軸は、ボロボロに破られていた。押入れの戸は開いていて、中身は引き出されていた。毛皮のコート、帽子、妹たちのマフ（両手を温める筒状もの）などが盗まれていた。ただ、小さな毛皮のコートだけが床に落ちていた。

「小っちゃいののコートだ」

淑世はそれを拾い、片腕にそれを抱えると、部屋を調べ続けた。

電蓄はなくなっており、収集していたクラシックのレコードは床に散らばっていた。和箪笥は空だった。だが、ペダル式のミシンには手を触れた様子はなかった。どうして泥棒はこれを持って行かなかったのだろうか。多分使い方を知らないのだろう、と淑世は思った。

ミシンは使わないときと同じように黒いベルベットの布で覆われていたが、その上に茶碗が置いてあった。淑世はその不自然さに気づいた。母は、ミシンの上に物を置くことなど決してなかった。ミシンに近づくと、茶碗の下に草書体の書置きがあった。

「息子へ。私たちは出発しなければいけません。京城の駅で待っています」

日付は、淑世が工場に出かけた日だった。草書体で書かれていたのは、書道の経験がない人に読めないようにという配慮からだった。淑世は、書き置きをポケットにしまうと、貯金通帳に気がついた。書き置きの下に置いてあったので分からなかったのだ。

母たちは急いで家を出たに違いない。そう思いながら通帳を持ち、自分の部屋へ向かった。

この部屋は兵隊たちにとって、〝宝の山〟だったようだ。壁掛け時計、スキー用のシューズ、ラジオ、淑世がよく氷の上で遊んだ木製のこまのコレクション、万年筆等、全部無くなっていた。着物は羽織袴を含め一枚も残っておらず、机の引き出しは開けられ、メチャクチャになっていた。

それから台所へ行くと、食器棚にせんべいがあり、米びつには米が残っていた。それらを全部リュックサックに入れ、アルミの飯盒、蝋燭、マッチも詰めた。米びつの隣に母が漬けていた梅干しの小さな瓶があったので、淑世はそれを弁当箱に入るだけ入れて布巾で包んだ。そして、台所のポンプで水筒に水を詰めた。

淑世はもう一度、自分の部屋へ戻った。そして幸いにして敵の兵隊が興味を示さなかった下着、靴下、セーターを集めた。しかし、冬のコートは何処にも見当たらなかった。

兵隊たちは再び盗みに戻ってくるかもしれない。早く逃げなければならない。

浴室で、急いで血まみれの顔を洗うと、石鹸一つと湯上りタオルを持った。

それから、毛布で、先程拾った小さな毛皮のコートを包み、もう一杯になってしまったリュックサックの上に、その包みを載せた。

いつもの癖で、勝手口を閉めると、鍵を掛けた。玄関は壊れていて、鍵が閉まらなかった。せめて入り口に板を打ちつける時間があったらいいのに、と思った。

淑世は、細い竹林の道に向かって歩き始めたが、ハッと気がついて、家に走って戻った。

急いで茶の間に入ると、淑世は見覚えのある古い家族のアルバムを取り上げた。それをしっかりと腕に抱えて、家を後にした。時計を見ると、午前九時十五分だった。太陽は竹林の上に昇っていて、重い包みを運んでいるせいで、余計に暑かった。淑世は誰もいない通りの静けさに不吉なものを感じながら、正一の家へと急いだ。

誠と眞蔵はすでに着いていた。誠はむせび泣いていた。眞蔵と正一の両親は、親戚が住んでいる南の方へと逃げおおせたが、誠の年老いた両親は殺されていたのだ。一人っ子の彼には行くあてが無かった。

「他に親戚は一人も居ないのか？」

淑世が聞いた。

「朝鮮にはいないよ！」

誠は泣きながら鼻をすすった。

「俺はお前と一緒に行きたい。奴等は日本人を殺しているんだ、怖いよ！」

「よし、一緒に行こう！」と淑世は言った。

「でも、日本の学生服ではこの町から逃げることは出来ないな」

彼らはお互いを見た。

「どうすればいい？」

まだ泣いている誠が尋ねた。

淑世が指をパチンと鳴らした。

「よし。俺の家族の友達の李さんのところへ行こう。彼らは俺たち家族のために何年も誠実に働いてくれた。朝鮮人だけど、共産主義者ではない。きっと俺たちに服を貸してくれるだろう」

だが、夏の暑さで腐り始めていた李さん夫婦の死体を見つけたとき、四人の青年たちは、最初、愕然として物も言えなかった。その死臭は鼻につんときた。淑世らは、朝鮮人ならば安全だろうと思っていたのだ。

淑世は、怒って叫んだ。

「畜生、俺の家は片っ端から荒らされ、貴重品を盗まれた。共産主義者は善人をも惨殺するのか」

淑世はむせび泣いた。

「服を借りて、ここから逃げよう」

正一が叫んだ。

四人は朝鮮服に着替えると、毛布に脱いだ制服を包んだ。

これから南の方角、京城に向かうのだが、地図が無かったので、彼らは線路伝いに行くことに決めた。一晩中寝ないで歩いていたので、李さんの家の近くにある丘に登り、茂みに入り、夕方まで寝た。


青年たちの歩く旅が始まった。彼らは話さなければいけないときは、いつでも朝鮮語を使った。そして共産軍に見つからないように、日中は休むことにした。それに、夜間に歩く方がずっと涼しかった。

野菜畑を見つけたときには、手当たり次第に掘って、簡単に汚れを払い落としただけの野菜を食べた。非常用の食糧を少しでも残しておくため、彼らはその辺りに生えている草木の汁まですすった。暑さで喉が渇くため、自生の人参やトマトを見つけては、むさぼるように食べた。

歩き始めて、すでに十日程が経っていた。

水筒の水はなくなり、彼らの唇は皮がめくれていた。緑の物を見れば、何でも口の中に入れ、たとえほんの一滴でも絞り出せるよう、一生懸命に吸った。疲れ切っていた。それでも、歩き続けた淑世が、遠くに池のような影を見つけた。

「池だ！」淑世は叫んだ。

「水だ！」

彼らは大喜びで、急いで池に向かったが、そこには池などはなかった。それは、地面に溜まった大きな血だまりで、そこら中に死体が散乱していたのだ。四人は、黙って線路へ戻り、自分の体を引きずるようにして、さらに南の方へ向かった。

日が経つにつれ、多くの朝鮮人や日本人、女性や子供が、線路を歩いているのが目立ち始めた。

「おい！　君たちは日本人？　それとも朝鮮人？」

年老いた男性が、日本語で尋ねた。彼は淑世らと一緒に歩いた。

「僕たちは朝鮮人です。でも共産軍の一員じゃありません」

淑世は、注意深く朝鮮語で答えた。淑世はできる限り警戒をしていた。

というのは、生死を問わず、指名手配名簿に載っている者を見つけた者には賞金が貰えるのだ。

淑世は、満州で訓練を受けていた共産党員が、父を捕らえようと、うずうずしているのではないかと思った。彼らなら喜んでその息子の頭を切り落とすだろう。淑世は、誰かが賞金のために自分を共産軍に売り渡さないように、自分が何者なのかを誰にも言わなかった。

「あなたは南に向かっているのですか？」

淑世はその男性に朝鮮語で尋ねた。すると、

「私は日本に帰るのだ！　もしできたらの話だが…。日本が負けるなんて残念だ」

淑世は驚いて叫びそうになった。

「戦争に負けた？　戦争は終わった？　いつ？」

正一も眞蔵も誠も、皆ショックを受けているようだったが、淑世ほど上手に朝鮮語を話せなかったので、黙ったままだった。

「僕たちは北部の方で働いていました」と淑世はその老人に話した。

「共産軍に襲われて、それ以来ずっと歩いて来たんです。僕たちは京城に向かっています。今日は何日でしょうか？」

「八月十七日」

と老人は下手な朝鮮語で返事をした。

「終わったのだ。ラジオで天皇陛下の玉音放送を聞いた」

彼の声はうわずっていた。

「そして、アメリカが広島と長崎に強力な爆弾を落とした、と聞いた。戦争は終わったのだ！」

深いしわだらけの顔に涙がとめどもなく流れていた。淑世は、自分が日本人だと明かし同じように非常に悲しい、と慰めてあげたかったが、それをやっとのことでこらえて冷静を保った。

「いつ戦争は終わったのですか?」

「二日前だ。終わったのだ」

淑世たちはさらに老人の話を聞きながら歩いた。

「皆、南に向かっているのも無理はない」

眞蔵はささやいた。

「彼らは、共産軍から逃げているのだ! 俺たちだって、十五日間も歩いている!」

四人はトンネルに入った。トンネルの出口は見えず、次第に暗くなっていく。枕木でつまずいた。淑世と誠は手探りでリュックサックの中の蝋燭を探し、誠が火を付けた。蝋燭はほのかな明かりを灯した。彼らは、さらに、注意深く前進した。

突然、足元の線路に振動を感じた。

「列車だ!」

青年たちは脇へと寄ったが、レールと壁の間にはそれほど隙間はなかった。うなりを上げ、トンネルを揺らしながら機関車が通り過ぎ、列車が起こした風で蝋燭の火が消えてしまった。淑世は体を壁にくっつけ、頭を横にした。車輪の火花が足や尻に飛び散り火傷をした。濃く重々しい煙がトンネルを包んでいた。しばらくは呼吸をすることも目を開けておくことも出来なかった。何回も咳をし、めまいがした。「これが僕の最期か?」という思いが脳裏をかすめる。それでも一心に壁にしがみついていた。何かが砕けるような音を聞き、同時に温かい水が首や顔から胸元に流れ落ちるのを感じた。

ついに列車は通り過ぎた。深い安堵の中、まだ咳をしながら、淑世が友達の名前を呼ぶと、みんなは答えた。もう一度、誠が蝋燭に火を付けたが、十分な明かりではなかったので、トンネルの壁を触りながら、注意深く先へ進んだ。

突然、淑世がつまずいて転んだ。すぐ後ろにいた誠も続いて倒れた。両方の蝋燭が消えた。

「おい、どうしたんだ！　大丈夫か？」眞蔵が叫んだ。

「人間につまずいたんだと思う」淑世が返事をした。

誠が蝋燭に火を付け直すと、そこには、少し前まで一緒に歩いていた老人のずたずたになった体が線路に横たわっていた。

遠くにかすかな明かりが見えてホッとした。四人は、新鮮な空気を求めて足を速めた。トンネルから出て深呼吸をした。皆、頭の天辺から爪先まで全身血まみれだった。最初、自分たちが怪我をしているのかと思ったが、それは、すばやく列車をかわすことができなかった避難民のものだった。

線路を離れ茂みを探して、大きな葉で血をぬぐった。そのときだった。

「止まれ！」

誰かが下手な朝鮮語で叫んだ。反対側の茂みから二人のソ連兵が銃を持って走って来た。四人は腕を高く上げた。もし兵隊が一人きりだったら、戦えると淑世は考えたが、彼らは武器を持っていて、おまけに二人いた。

「お前たちは朝鮮共産軍の人間か？」

ソ連兵の問いに、青年たちは同時に答えた。

「そうです！」

「どこへ行くんだ？」

「僕たちは平壌《ピョンヤン》に行くところです」

淑世は答えた。

「なぜ、日本のリュックサックと毛布を持っているんだ？」

「日本人から盗んだのです」淑世は嘘をついた。

「僕たちの親は殺されました。親戚のところへ向かっているんです」

「お前たちは皆兄弟なのか？」一人の兵隊が聞いた。

「いいえ、従兄弟です。私たちは孤児です」

淑世は悲しい顔をした。兵隊たちは四人をじっと見つめていた。少しの間沈黙が続いた。

沈黙を破ったのは正一だった。

「うまい煙草を持っています。吸いますか？」

「何処で手に入れたんだ？」兵隊が尋ねた。

「日本人から盗んだのです。あなたたちはこんなうまい煙草を味わったことがないと思います」

右腕を上げたままで、正一は胸ポケットに手を伸ばした。兵隊たちが近づいて来た。

「食べ物を持っていますか？　交換しましょう」

正一が言った。

「だめだ！　我々は食べ物など持っていない。その煙草をよこせ」

ソ連兵の上官が命令口調で言うと、もう一人の兵隊が正一に近づいて叫んだ。

「臭い！」

「僕たちはほとんど二週間、お風呂に入っていないんです」

淑世が少し笑って言った。誠と眞蔵も笑い出した。

笑ったことで兵隊たちは安堵したのか、彼らは青年たちに腕を下ろさせた。そして、美味しい日本の煙草で一服した。背の高い方の兵隊が、次の町の端川《タンチョン》まで歩けば、共産軍の本部が安い賃金で労働者を雇っているので、そこで働けば食糧ぐらいは貰えるだろう、と教えてくれた。

端川《たんせん》（タンチョン）？　淑世は思った。まだ四分の一しか歩いていない。京城までは長い道程である。

「だが、俺は行かねばならない」淑世は心の中で自分自身に言い聞かせた。

「おい！　同志」

淑世はソ連兵に明るく話しかけ、親戚に会う前に行水をしたいので、近くに池か川があるかどうか朝鮮語で聞いた。ソ連人たちは、三キロ西に歩いたら小川に出る、と言った。

再び青年たちは歩き出した。川があると聞いたのでわくわくしたが、走ったり、楽しそうな顔を見せたりすることはなかった。ゆっくり歩き、朝鮮のラブソングを大声で歌って、気持ちを落ち着かせていった。

川に出た。まずは腹一杯水を飲んだ。それから水筒に水を詰めると、服を脱ぎ、体を洗い、李さんから借りた朝鮮服も洗った。太陽で熱くなった石で服を乾かそうと川岸に衣類を広げた。そして、暖かい岩の上に身を投げ出して眠った。

端川に着くと、教えられたとおり、共産軍本部で働くことにした。仕事は、死体を大きなわら袋に入れて、崖から端川湾へ放り投げることだった。それらは列車から投げ落とされたり、野原に置き去りにされたりして死んだ人々だった。

一日の労働を終えると、煮たキャベツとご飯が与えられた。道のりがこの先何キロもあるのを知っていた四人は、毎食、ご飯を少しずつ残して蓄えた。また、彼らは、死んだ女性や少女の死体を扱うときは、いつでも特に丁重に扱い、そっと袋を崖から海へと滑り落とした。淑世は、母や妹たちの死体を見なかったので、心の中でほっとしていた。

ここでの仕事が終わると、給料を少し受け取り、彼らはさらに南へと歩き続けた。港町の元山《げんざん》(ウォンサン)に着くまで、一ヶ月半かかった。もう九月の終わりになっていた。淑世は、ここで仲間たちと別れ、一人、京城へと向かうことにした。誠は、眞蔵と正一と一緒に彼らの親戚のところへ行くことになった。

淑世は、少なくとも三十八度線まで行こうと決めた。その向こう側には、ある程度の安全と、いずれ母と妹たちに京城で会えるという望みがあった。

最後の米を炊き、水筒の水を分け合った。四人は山の中の茂みに横たわり、素晴らしい友情の思い出を語り合った。誠が言った。

「もし、いつか日本に帰れたら、何処で会う？」

「日本橋だ！　有名な待ち合わせ場所だからね」正一が提案した。

「いつ？」眞蔵がたずねた。

「多分、今から五年後だね」淑世が答えた。

星は頭上で明るく輝いていたが、潮風が秋の香りを漂わせていた。〝皆で一緒に過ごす最後の夜〟であると考えると、誰も眠ることが出来なかった。夜が更けるに連れて寒くなったので、淑世は妹の小さな毛皮のコートを羽織り、毛布で体を包んだ。

次の朝、淑世は一人で京城に向かった。一人旅を心細く感じていたが、もうすぐ母や姉妹と会えるという夢を抱きながら、線路を歩き続けた。

第五章　擁子の章（四）

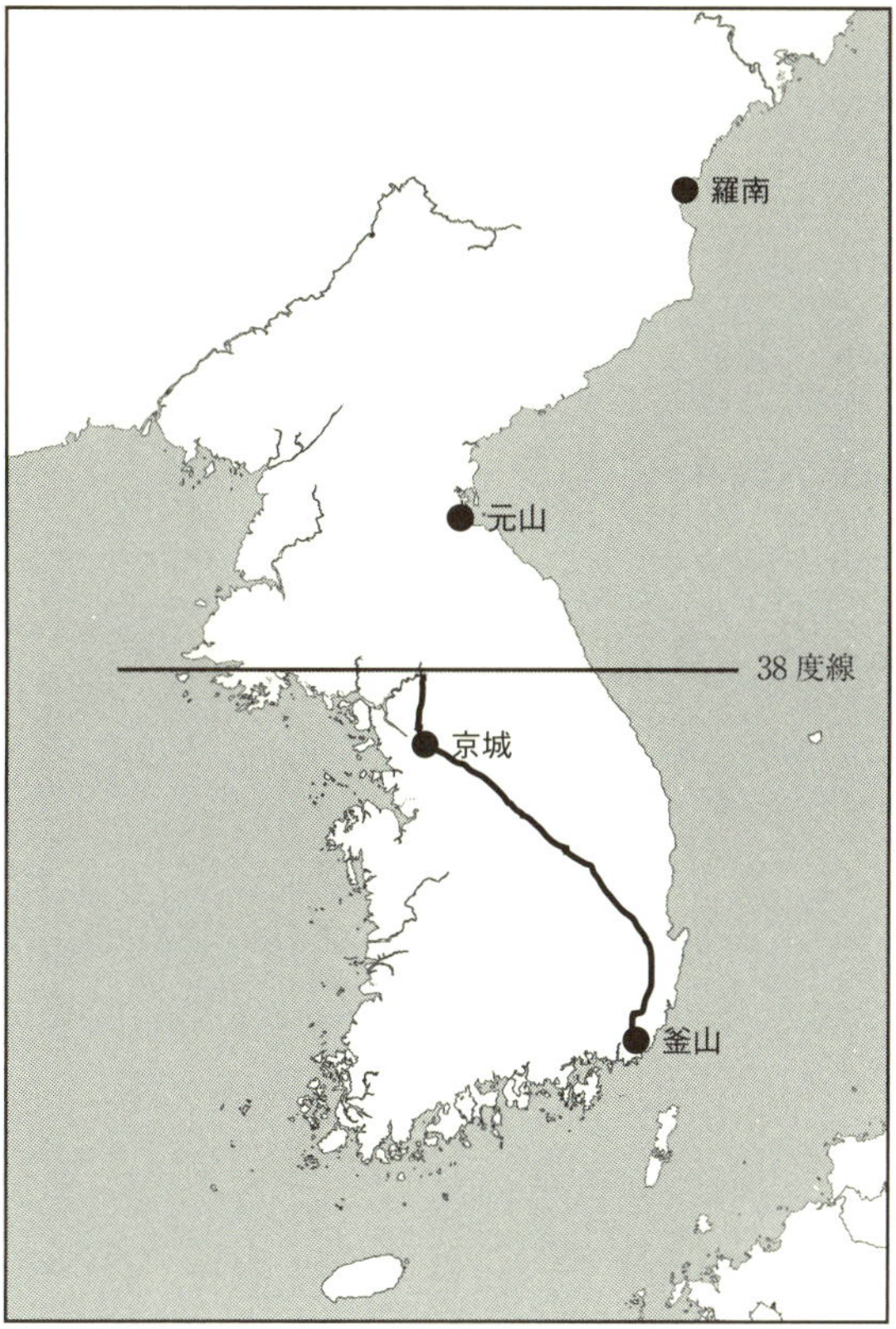

間一髪の危機を脱出し、再び母子三人で京城を目指す――

背が高く肩幅の広い好は、軍服がよく似合い本物の軍人のようだった。母は背が低く細身なので、襟の高いカーキ色のコートはぎこちなく見えた。ほこりまみれの髪は、戦闘帽で隠されていた。私に至っては軍服が全く体に合わず、好がズボンの裾をまくり上げてくれたが、すぐにずるずると下がって地面を引きずり、長過ぎる袖はパタパタするばかりだった。

以前私の手首を結んでいた細引きをベルト代わりにしてみたが、堅く結んでも落ちてくるので、好が細引きでズボンつりを作ってくれた。だが、すぐにズボンの上部で私の傷ついた胸が擦れた。右耳は相変わらずズキズキ痛み、まだ何かふさがっているようで、母や好に右側から話しかけられても、よく聞こえなかった。母は私を慰めた。

「もう少しの辛抱よ」

だが八月の太陽は剃った頭に焼けつき、口は乾き、そして体全体が痛んでいたので、私は泣きべそをかいた。

「本当に嫌になっちゃう、またためそめそしちゃって。たまには黙ることが出来ないの」

好は愛想をつかしたように言う。

「痛いの」

私が叫ぶと、好は厳しい目つきをした。

「ただ黙って歩きなさい」

私は泣きながら、軍服の袖で目と鼻を拭いて歩いた。

「体の水分を出すんじゃないよ」

と好が言った。

「一粒一粒の涙を流すたび、水分がなくなるんだから」

私は片方の手を頭上にかざして日差しを避けた。剃った頭のことを考えると、また涙が出た。

「すぐ伸びるわよ」好は無表情だった。

耳がよく聞こえないことや、絶え間ない胸の痛みで自分が哀れに思えてきた。それに加えて、いつも「だまれ」とか「歩け」と命令する好に苛立っていた。しかし母は、決して姉の乱暴な話し方を直そうとはしなかった。

私は父に会いたくなった。もし、父がここに居たら、好は相変わらずおてんばだろうが優しい姉であっただろう。ついに私の泣き声が母の癇に障ったらしい。母は、

「なぜ擁子はお姉様のように強く、良い子でいられないの？」

と額を拭きながら聞いた。

「私はお姉様じゃないわ。お姉様だって、もし私のように怪我をしていたら、泣いているわよ」

私は大声で怒鳴った。

「私は泣かないわ」好は強い口調で言った。

「あんたは、ぐずってわめいているだけじゃない。もしあんたが死んでたら、この旅はもっと楽

うか。

私は歩くのを止め、物が言えないほど驚いて好をじっと見た。姉は私の死を望んでいたのだろうか。

「好！　二度とそのようなことを言わないように」

母は戒めた。

「分かりましたね。絶対よ」

好はただ黙って速く歩いた。速く、より速く。母は私の手を取り、ゆっくりと好の後を追った。線路は山岳地帯に入っていった。高く茂った木々の陰は涼しかった。喉がからからに乾いていた私は、葉っぱをむしり汁を吸ってみたが、苦いだけだった。

前を歩いていった好の姿が見えなくなったかと思うと、突然声が聞こえ、茂みから現れた。私たちに微笑んでいた。

「小っちゃいの、休みたい？」

私は、私の死を望むような姉と話すつもりはなかった。

「休みましょうよ。お母様」好は繰り返した。

心の奥底では、休みたいと願っていた。喉が渇き、とても空腹だったし、何より横になりたかった。耳と胸の痛みはこれ以上耐えられないように思われた。それでも母と私は歩みを止めなかった。

「お母様は全然お腹が空いてないの？」

母は一度も愚痴を言ったことがなかったので聞いてみた。

「私だってとてもお腹が空いているし疲れているのよ。でもそんな不平を言っても何にもならないでしょ」

母は答えた。

「生きていることに本当に感謝しているのよ。私たちはどんなことがあっても京城にたどり着いて、淑世に会わなければいけないわ」

そう言うと、あとは涙で声を詰まらせてしまった。

今度は、丘の上から好が私たちを呼ぶと、上がってくるように手招きした。息を切らしてやっと登ると、好はさらに洞穴まで案内してくれた。私には、好が先程言ったことの埋め合わせをしたいのだと分かっていたが、まだ口を利かなかった。リュックサックを下ろして、重く臭い軍服を脱ぎ、地面に寝ころぶとすぐに眠りに落ちた。

気がつくと、好がやさしく私を揺すっていた。

「小っちゃいの、夕食の時間よ」

何か美味しそうな匂いがして、私は起き上がると、母はトウモロコシを食べていた。好は赤く瑞々しいトマトを食べていた。

好は焚き火からトウモロコシを取って布に巻き、私に手渡した。私はぽかんと口を開けて食べ物を見つめるだけだった。

「冷める前に食べなさい」と好は言った。

「美味しいわよ」

私は好のことを怒っていたことなどすっかり忘れていた。

「どこで手に入れたの。お姉様」

「小っちゃいのが食べ終わったら、教えるから」

空腹だったが、それまで姉にとっていた私のひどい態度を考えると、なかなか喉を通らなかった。だから少しずつ食べた。

トウモロコシを手に入れた経緯はこうだった。好は小川を探しているうちにトウモロコシ畑を見つけたのである。好には、母と私を驚かすために両手いっぱいのトウモロコシを持ってくることしか頭になかった。ところが、朝鮮人の農夫に捕まってしまった。彼は野菜泥棒を待ちながら横になっていたのだ。そして好に向かって、「畜生、日本人！」と呼びトウモロコシを降ろせ、と言った。好は流暢な朝鮮語で、自分は日本人ではないと否定した。妹が怪我をしていて、母が妹に付き添っていると話した。

「日本軍の兵隊が羅南から私たちを追い出してしまいました。私たちは京城の親戚のところへ向かっているのです。私たちはとても飢えているんです」

農夫は、好に男か女か聞いたので、母に頭を剃ってもらったことを話した。その農夫は日本人を毛嫌いしていた。

「やつらが戦争に負けたら、その日はすばらしい日になるだろう」そう言って地面に唾を吐いた。

それから、好は井戸まで行き水筒を一杯にすると、熟したトマトを取らせてもらった。農夫はトウモロコシをたくさん詰めるようにと言って麻袋をくれた。

話が終わると母は深いため息をつきこう言った。

「好が嘘つきや泥棒になるなどとは夢にも思わなかった……」

「仕方なかったのよ」好はつぶやいた。

その日は、その洞窟で休んでいくことにした。家を離れてからというもの、初めて私は襲われる心配もなく、満腹で眠ることができた。

夜明けに目を覚ました好は、リュックサックを整頓し直していた。私はアルミニウムの飯盒、ナイフ、マッチ、蝋燭といった軽いものを運ぶことになった。残ったトウモロコシは全部を焼いて持っていくことにし、母がトウモロコシを、好は一番重い包みを担いだ。私は再び重く、臭い軍服を着なければならなかった。三人はまた歩いた。


ある朝、坂がなだらかになってくると、野原を横切って来る人々が見えた。私の胸は再び痛み出しており、耳の痛みも相変わらず続いていた。しかし、好に私が死ねばいいと思われたくなかったので、もう泣くことはなかった。

しばらくすると、日本人らしき男達がリュックサックと包みを持ち、女たちが赤ちゃんをおぶっているのが見えた。

「すみません」

母が声をかけると、彼らは立ち止まり、私たちをじろじろと見た。

「あなた方は京城に向かっていらっしゃるのですか？」

母は上品な日本語で聞いた。彼らはまだ私たちをじっと見ていたので、母は言った。

「私たちは日本人です」

「でも君たちは朝鮮軍の服を着ているじゃないか」と一人の男が質問した。

「私たちの身なりをお許し下さい」

と母は軽く会釈をした。

「変装をしなければいけなかったのです」

「あなたたちはどこから来たの？」

「ずーっと北の羅南です」

「ほとんど満州じゃないか」

その男は言った。

「君たちはずっと歩いてきたの？」

母は列車のことを説明した。すると、彼は近くの町にあった床屋を朝鮮人の友人に売り、親類と一緒に日本に帰るところだ、と話した。

「朝鮮人が日本人を攻撃し始めたので、町にいても安心して眠ることが出来ない」

母はここがどこかを尋ねると、

「遠くに見える茶色の屋根が京城駅です」

遂に！　私は信じることが出来なかった。銭湯にも行けるし、ゆっくりと眠れる宿屋もあるだろう。食べ物もたくさんあるかもしれない、と母は言った。

いつの間にか、私たちは行列の最後尾についていた。その行列は見たところ終わりがないように思われた。

「どうして並んでいるのですか？」

好はすぐ前にいた朝鮮服を着た男に朝鮮語で聞いた。

「これは避難民の検問所です。持ち物を見せなければいけません」

とは言っても延々と並んだ人々は、見せる物などほとんど持っていなかった。私たちが検問所の近くまで来たとき、太った人と背の高い、二人の武装した日本人の警察官が、突然、何かを叫び、私たちに銃を向けた。私は震えた。急に耳と胸もズキズキ痛み出した。

警察官は、私たちが共産軍の服を着ていたので、亡命者だと思ったようだ。好が私たちは日本人だと説明すると、どこから来たのか、それを証明できるか、と聞かれた。

母は保険証と学校の成績表を見せたので、警察官は銃を下ろした。

列の一番前に着いても、取り調べが続いた。

「まとまった現金を持っているか？」

「ほんの少しだけです」

母はシャツのポケットから小さな財布を取り出しながら答えた。彼らは中身を確かめるとそれを返し、貯金通帳を持っているか、と尋ねた。

「はい」母は答え、包みをくまなく探した。だが貯金通帳はなかったので、包みの中身を全て取り出して調べた。それでも貯金通帳は見つからなかった。

「置いてきてしまったにちがいありません」

母は悲しそうに涙を浮かべて言った。

「他にも調べさせてもらう」

そう言うと、彼らは衣類、ポケット全部、そしてリュックサックを調べたが、貯金通帳は一冊も見つからなかった。焼いたトウモロコシについても尋ねられたが、好が、非常食だと説明した。最後に、太った警察官が、これからどこに行くのかと尋ねた。母は、息子が着くまで京城に留まり、戦争が終わったら、羅南に戻るつもりだと話した。

「戦争は終わった」と彼は言った。

私たちは驚きのあまり呆然としていた。

「いつ？」

好は聞いた。

「昨日だが、君たちは羅南には帰れない。今、朝鮮では、日本人は危険な状況下に置かれている。だから、北からこれほど多くの人たちが避難しているのだ」

「今日は何日ですか？」

また好は聞いた。

「八月十六日だ。では、長崎と広島に原子爆弾が落ちたことも聞いてないのか？」

「いいえ」

「日本は負けた」

背の高い警察官が教えてくれた。

「広島も長崎も地獄そのものだ」

突然、母が地面に倒れた。それを見て、私はいつものように泣き出した。周りに立っていた男たちが数人、母を駅の中へ運ぶように言われた。太った警察官が、お酒を取りに走った。ウイスキーの匂いがした。彼らはほんの少し母の口の中に注ぎ、好は母の襟元をゆるめ、軍服の前のボタンを外し、胸と腕をマッサージした。

しばらくして母が意識を取り戻すと、私はほっとした。

「私は気を失っていたんですね」

そう言って、立ち上がろうとした母に、警察官は、そこでじっとしているように言った。彼らは前より好意的になっていたが、それでも取り調べは続いた。シラミやノミを北から持ってきたかもしれないので体中を消毒すると言われ、衣服を脱がなければいけなかった。

母は起き上がると、シャツの下に着ていた薄手のシュミーズ一枚を残して、全部脱いだ。係員は母の頭から爪先まで、そして着ていた軍服にも薬を浴びせたが、母の隠し持っていた短剣に気づかなかったので、私はほっとした。消毒が終わると、母は軍服ではなく自分の服を着た。どんなに、母はさっぱりして心地よいように見えたことか。そして、好、私の番と続いた。すると警察官たちが何か言いながら笑っていた。何がおかしいのだろうと、私が軍服を脱ぐのをためらいながら立っていると、

「こんな小さな兵隊を見たことがないと言っているんだ」警察官が言った。

「さあ、軍服を脱ぎなさい」

血で汚れていた私のシュミーズを見ると、係員たちはショックを受けた。

「怪我をしていたのか？」

太った警察官は尋ねた。

「どうしたんだ」彼の質問に好が答えた。

粉末の薬を掛けられると、ひりひりと傷口に染みて私は悲鳴をあげた。やっとの思いで済ませると、母は私の服を出してくれた。汚れてはいたが、やっと自分の服を着られたので、この上なく心地よかった。そして今後、二度と軍服を着なくてもいいようにと願った。しかし、好と母は軍服をきちんと畳んで服の包みの中にしまっていた。

「冬服がないからよ」

母は教えてくれた。


検問が終わり、私たちが出発しようとしたとき、太った警察官が呼び止めた。

「娘さんの怪我の手当をしてやりなさい」

私たちは、教えられた通りに、屋根に赤十字が書いてある大きなテントがいくつかあるところまで行った。

「これは日本の病院ですか？」と好は、外の受付に座っていた衛生兵に聞いた。

「そうだ」と答えたその衛生兵は、血で汚れた私のコートを見ると、「来なさい」と言って、誘導してくれた。彼は私のリュックサックを持ってくれると、私にベッドに横になるように言い、私のコートを脱がした。母と好もついてきていた。

若い医者が来て、

「医師の武田です」と言った。

母と好はおじぎをした。彼は小さな腰掛を引き寄せ、私の名前を聞いた。

「川嶋擁子です」

「何歳ですか」

「もうすぐ十二歳です」

彼はカルテに書き込みながら、

「何があったか話して下さい」

私は経緯を話し、耳の痛みや聞こえなくなったことも付け加えた。

「どのくらい前から」

「六日前からです」

武田医師は傷口から慎重にシュミーズをまくり上げて診察すると、首をかしげた。

「この子が、どうやってここまで耐えてこられたのか分からない。ひどく化膿しています」

「妹はよく我慢しました」好は話した。

武田医師が火傷で化膿した右胸の下を消毒して薬を塗り、衛生兵が滅菌ガーゼを胸に当てて包帯を巻いてくれた。

「さあ、次は耳を見せて下さい」

武田医師は中央に穴のあいた丸い鏡を頭に着けると、私の耳たぶを下に引っ張り、そして細長い針金を入れた。あまりの痛みに、私は涙を流しながら、歯をぎしぎし言わせていた。そんな私を見る母の表情は、ひどくつらそうだった。武田医師は私に金属のかけらを見せた。

「これがあなたの耳の中に入っていました。これが鼓膜に刺さっていたため、化膿していたのです」

彼は膿を取り除き、何滴か薬を垂らして、綿を詰めた。

それから、武田医師はカルテに書き加えながら、尋ねた。

「もしかして、あなたのお父様の名前は良夫さんではないですか？」

「はい」私の代わりに母が答えた。

「私はあなたのご主人を知っています」彼はそう言って続けた。

「私の父と川嶋良夫さんは、大学で同級生でした。父は武田和蔵といい、貴族院の一人でした。毎年、同窓会の後で、あなたのご主人をお招きしていたのです」

「その方でしたら私も存じております」母は懐かしそうに叫んだ。

武田医師は母に、戦争の終わる六ヶ月前に、ここの日本軍の病院に配属されたことを話した。

母は、これからどうするつもりかと尋ねられたので、ここで淑世を待つと言った。

「そういうことなら、あなたの下の娘さんは入院した方がいいです」武田医師が母に話した。

「娘さんの傷はひどく化膿しています。毎日の治療が必要ですよ」

私は入院することになり、混み合った患者のテントで、むしろを貰った。

その夜、母は私に付き添い、好は毛布と水筒とトウモロコシ二つを持って駅に戻った。母はほんのわずかな所持品を守りながら、すぐに眠りに落ちたが、私はズキズキする鼓膜と、ひりひりする傷に加え、他の患者のうめき声が気になって眠れなかった。夜中に、衛生兵がオブラートに包んだ粉薬を持って来てくれた。そして、やっと眠りに就いた。

翌朝目が覚めるとすでに太陽は輝いていて、母は私の傍らで髪をとかしていた。母の髪は黒髪というより白髪に近づいていて、以前とても綺麗だった母の顔には、深いしわが刻まれていた。

母は髪を後ろで結びながら、私に微笑んだ。

「さあ、起きなさい、小っちゃいの。お医者様がいらっしゃったけど、あなたを寝かせておいたのよ。包帯を取り替えたい、とおっしゃっていたわ」

母から湿らせた手拭いを受け取ると、私は顔を拭いた。

「ここに水筒があるわ。外で口をすすいで、お医者様のところに行きなさい」

私は、耳はいっこうに良くなったと思えなかったし、頭をまっすぐにすることもできなかった。

武田医師は膿で濡れていた綿を取り出し、綿棒で拭き取ると、たっぷりと薬を垂らした。私は痛みでまた涙を流した。彼は、私に「腫れはひくけど、安静にしていなければならないよ」と注意した。次に衛生兵が私の胸に包帯を巻いてくれた。

私がテントへ戻ろうとしたとき、武田医師は私を呼び止めて、牛乳を一本くれた。

「患者は全員、一日に一本貰えるんだよ」

私はクリーム色の牛乳をじっと見た。大切な貴重品を両手に持ち、じっと立っていた。

彼の言葉に、私は勇気を振り絞って言った。

「もう二本、お願いできますか」

「あなたのお母さんとお姉さんの分でしょ」

と武田医師は聞いた。私がうなずくと、武田医師は衛生兵に、あげなさいと合図した。さらに二本の牛乳を貰うことができた私は、深々とおじぎをすると、母の待つところへ急いだ。

私が治療のために医療テントに滞在していた二週間、母と好が交代で私に付き添った。そして付き添わない方が交代で常に駅にいて、淑世の到着を待っていた。しかし、淑世は来なかった。

ある日、歩いてくる母を見たとき、歩き方が弱々しいことに気づいた。私には、母がだんだん小さくなっているように思えた。


九月一日、武田医師が母と話した。

「患者は全員、今月の末までにトラックで釜山《ふさん》（プサン）に向かいます。赤十字船が十月二日にそこから日本に出発することになっているのです。一緒に母国に戻りましょう」

しかし、母は淑世を待つつもりだった。

最後の日に、武田医師は、私たちに牛乳三本と予備の包帯、薬、そして脱脂綿をくれた。

「回復は順調だが、安静にして風邪をひかないようにしなさい」

そう言って、私にアスピリンを一ビン渡した。

「痛くなったら三時間毎に、一錠ずつ飲みなさい」

と指示してから、母に運がよかったら母国で会いましょう、と約束した。私たちは荷物全てを持って駅に戻った。

駅は、北から逃げてきて家がない人々や、復員兵、その他の民間人で溢れていた。彼らは皆、釜山行きの汽車に乗ろうとしていた。

私たちは駅の外に座り込み、旅客車や貨物車など列車が到着する度に、母と好がプラットホームに急いだ。私は自分の場所を見張り、荷物を守らなければいけなかった。しかし、幾便待っても、淑世は来なかった。

私たちは牛乳を少し飲んだ。

夜になると好は、早朝まで列車はないだろうから寝たほうがよい、と言った。食べる物はなく、待合室の中のベンチにようやく小さな隙間を見つけた。好は母を割り込ませて座らせると、ベンチの下に風呂敷包みを押し入れた。好と私は、母の足元でうたた寝をした。

夜が更けると、あまりの寒さに私は震え出し、耳と胸が痛んできた。私はベンチの下から這って出ると、「寒いの」と母に言った。

母は私を膝の上に乗せ、毛布で二人を包んだ。母の腕に抱かれ、安心して私は眠った。しばらくすると、母の隣にいた男の人との激しい口論で目が覚めた。私が彼を蹴った、というのだ。私に悪気はなかった。母は好に風呂敷包みを取ってもらうと、赤いオーバーコートを取り出し、私にそれをかけてくれた。次に共産軍の軍服を取り出し、オーバーコートの上からそれを羽織るように言った。再び私はベンチの下に戻り、そこで好と暖め合うように寄り添って寝た。

翌朝、朝早い列車が来たとき、母はすでにプラットホームにいた。

私たちの近くにいた男の人は、母のいない間にベンチの場所を取ろうとしたが、好が果物ナイフを突き出して、殺すわよ、と脅すと、諦めて戻って行った。母は、淑世を見つけられず帰ってきた。私たちは三人で最後の牛乳を飲んだ。

「食べ物を探してくるわ」

と好は言うと、空っぽのリュックサックを手にした。再び列車が入って来たので、母はプラットホームへと急いだ。

母も好もいなくなると、今度は年配の日本人がベンチの下を這って来て、私たちの風呂敷包みを取ろうとした。その男はそれを自分の物だと主張したが、ちょうどそのとき母が戻ってきて、

「泥棒！　誰か助けてぇー。泥棒！」

と叫ぶと、やっと諦めた。

好はホテルのごみ箱で、食べられそうなものを漁り、リュックサックをほぼ一杯にして戻って来た。母は好の悪賢さと危険に出会ったときの逃げ足の早さに、ほとんど言葉を失っていた。

私たちが駅に寝泊まりしている間に、アメリカ兵が京城に進駐してきた。だが、私たちは狭い場所に閉じこもっていたため、ほとんど彼らを見ることはなかった。

ある日、好が食糧探しから戻って来ると、リュックサックからミカンやリンゴの皮と薄切りのパンを取り出した。以前は日本のものだったが、今ではアメリカの医療班が使用している病院のごみ箱から拾ってきた物だった。

私たちは長い間、風呂に入っていなかったので、行水をしなければならなかった。所持品を駅に残すことは出来なかったので、全て川まで持っていった。もう秋になっていたが、それでも多くの人が川で体を洗っていた。私が荷物を見張り、好と母はシュミーズとパンツで川に入った。好が頭を水の中へ入れ髪を濡らすと、母が石鹸をつけて、剃り始めるのが見えた。短剣の短い刃は、何度も何度も光っていた。

私の番が来た。母は私の胸の傷口を避けながら、耳に水が入らないように、注意深く背中と頭を洗ってくれた。水はとても冷たく、母の指は氷のようだった。それに、頭を剃っている刃は、さらに冷たかった。母は私の包帯を替えて、耳に薬をつけてくれ、きれいにかさぶたができているわ、と言った。私は乾いた下着を身に付けた。好は濡れた肌着を全部洗って、岩の上に広げて乾かした。

私たちが京城に来て五週間経ったある日、好が深刻な事態を知らせた。

「私たちは京城を出なければいけない。朝鮮人の男たちが、藪の中へ女の人たちを引きずって行くのを見たし、若い女性に乱暴しているのも見たわ」

好は震えていた。

てくれる?」

「女の人たちは金切り声を上げて日本語で助けを求めていたの。今からもう一度、私の髪を剃ってくれる?」

川で母は私たち二人の頭を剃った。それから、好をもっと男の子らしく見せるため、武田医師が私の胸の傷を巻くために使ったガーゼで胸をきつく巻いた。秋風が身にしみるようになっていたので三人とも汚れた軍服を着た。

駅に戻ると私たちの場所にはすでに他の人が陣取っていたので、仕方なく外の日なたに座った。母は、駅長に会いに行き、客車で釜山まで行くお金がないので、貨物車でもよいから乗れないかと交渉した。駅長は、大勢の人が釜山港に向かっているので、私たちが乗れるかどうかさえ分からないし、さらに釜山までは二日半かかる、と教えてくれた。

「明日の最終の貨物車に乗りましょう」

と母は決めた。

「もしかしたら、淑世がそれに乗っているかも知れないから」

好と私は、駅の支柱や周囲の木という木なら何にでも、淑世への伝言を彫った。私は、出発する前に兄が来てくれることを、心から願いながら彫った。

「淑世、釜山へ」と。

それから、好は私を病院裏の細い通りに連れていき、ごみ箱の食べ物を探すように言った。ごみ箱を開けると、強い異臭が鼻を突いた。私は手をごみ箱に入れることなど到底出来なかった。

「やりなさい!」

好は厳しく命令した。好は折り畳み式ナイフでごみ箱をあさっていて、既に好のリュックサックは半分までになっていた。

私は吐き気がした。

「出来ないわ。お姉様」

「棒を見つけて来なさい」

好は私に言いつけた。

仕方なく私は箸を拾い、好から食べ物の探し方を教わった。私は半分食べかけのゼリーのサンドウィッチ、肉のサンドウィッチ、たくさんのフライドポテト、チーズを少し、そしてレタスを見つけた。これが、これからの旅の大切な食糧だ。私たちは急いで母が荷物を見張っているところに戻り、手に入れたばかりの物を食べ、そして一晩中座っていた。


最終の貨物列車が着いたのは、次の日の午後三時だった。私たちは淑世を捜したが、無駄だった。日本人や朝鮮人、老若男女、病人までも、誰もが汽車に乗り込もうとしていた。母は私の手をしっかりと握り、私たち二人の前を行く好は大きな包みで人を押しのけながら進んで行った。

最初の貨車は満員だった。

「場所はもうない」

男の人が叫んだ。

次の貨車はさらに混んでいて、まだ多くの人々が無理に乗ろうとしていた。乗れずに列車の端にしがみついている人もいた。

「無蓋《むがい》貨物車にしよう」

好が叫んだ。汽笛が鳴った。貨物車は材木と人々でひしめいていたが、乗っていた日本人の男性が私たちを呼んでくれた。

「ここに乗りなさい。早く！」

好は彼に、まず包みを渡した。そして、私の胸はまだ触ると痛むので、私を赤ちゃんを抱くように持ち上げると男性に渡した。彼は材木の上に私を乗せて、腕を母の方へ伸ばした。母が乗った。好は私たちのリュックサックをほうり上げた。

貨物車は三回汽笛を鳴らし動き始めた。

「お姉様、急いで！」

と私は夢中で叫んだ。

好は飛び上がり、男性は手を差し出し、母と二人でやっとのことで好を列車に乗せた。

「ああ！」と安堵し、母は男性に深々とおじぎをした。

「ありがとうございます」

「危機一髪だった」

と彼は言った。私はそのとき初めて、白いあごひげをした物腰の上品な紳士の顔を見た。

私たちは貨車の上で揺られて旅をした。とても風が強かったので、好が私のリュックサックを開けたとき、もう少しで食べ物が吹き飛ばされるところだった。好はその初老の友人にチーズのサンドウィッチを渡した。

「三日間、何も食べていませんでした」

好に話すと、それを貪るように頬ばった。

夜になり、寒さのあまり震えた。好と母は、風がコートと軍服を飛ばさないように、しっかり掴んで取り出した。毛布にくるまっていた私は、それでも寒かったので好にしがみついていた。

翌朝、私たちは腐っていない果物はみんな老紳士と分け合って食べた。好が彼にパンをあげると、「これはかび臭いが、無いよりましです」と彼はとても喜んだ。

列車が一時停止すると、一人の男性が飛び降り、背を向けて小便をした。それから彼は私たちを呼んだ。

「もし、したいなら、今、しなさい。今度はいつ止まるか分からないぞ」

私たちは何とか降りて、お互いを隠しあいながら、その場にしゃがんだ。

また貨車に揺られながら釜山へと南下するうちに、私は寒いばかりでなく、熱まで出てきた。喉が痛み、声も出なくなったが、以前の耳や胸の痛みに比べると何でもなかったので、弱音など吐かなかった。

三日目に、ついに列車は釜山駅に到着した。駅は満員だった。私たちは港の近くの倉庫に行くように命じられた。

「私は駅で息子を待たなければいけないのですが」

母は朝鮮の係員に話した。

「駄目だ！　我々はここで独立祝賀会を開く。出て行け！」

すでに私は熱で体がほてり、頭がガンガンと鳴るように痛かったので、これ以上ほんの少しも歩けるとは思えなかった。それでも私たちは、のろのろと歩き続けた。国旗を持ったあらゆる年齢層の朝鮮人が一張羅を着て駅の祝賀会に向かっていた。カメラを持ったアメリカ軍人もいた。朝鮮は、何十年かぶりに大日本帝国から解放されたのだ。

祝賀会の行われる倉庫は、戦争が終わるまで日本海軍のものだったので、〝必勝〟〝肉弾攻撃〟〝大日本帝国海軍〟といったスローガンがまだ壁に大きく書かれていた。

もう倉庫は人で一杯だった。何とか隅に隙間を見つけたのは、やはり好だった。私はコンクリートの床に毛布を敷くとすぐに眠りに落ちたが、長く眠ることは許されなかった。ある男が、私に、起き上がって場所を空けろと怒鳴ってきたのだ。母は彼に私が病気であると話したが、その男は今にも母の首を絞めようとしていた。私は彼の両足を捕まえると、彼は倒れた。彼は更に怒って起きあがり、恐ろしい形相で近寄って来た。

そのとき、母が短剣を男の胸に向けた。

「娘に触れてみなさい」

母は低い声で言った。すると男は行ってしまった。

「横になりなさい、小っちゃいの」

母はまるで何事もなかったかのように言った。

「お姉様の場所を取って置きなさい」

そう言うと、母は短剣をさやに収めた。

好は駅の近くにあった進駐軍の食堂のごみ箱で見つけたオレンジの皮や腐ったリンゴを持ってきた。桃やフライドポテトもたくさんあった。

「お便所に行きたい」

私は言った。

建物の端に六つの便所があったが、ドアもなく男女の区別もなかった。私たちの前にいた女性が戸惑いながらズボンとパンツを下ろしてしゃがんだ。私は彼女を見ないように目をそらし、母が来て女の人の前に立ってなるべく見えないようにしてあげた。彼女は出てきて戻っていった。すると、突然、助けを求めて金切り声を上げた。振り返ると、列の終わりで朝鮮人の男、四人が彼女を捕まえていた。だが、自分たちも危ないので、私も母も何もできなかった。

私たちは好が待っているところへすぐに戻った。好が便所に行きたい、と言うと、母は青白い唇を開いて聞いた。

「胸の包帯はきつく巻いてある?」

「好、男の子がするようにするのよ」

それ以来、私たちは男の子のように立小便をした。それは悲惨なものだった。小便で下着もズボンも濡れてしまった。しかし、身の安全には代えられなかった。

その日は悪夢のようだった。独立を祝いながら、酔った朝鮮人が私たちの囲りに来た。一人が前後にふらつきながら好に執拗に迫った。

「お前は男か女か?」

「男だ」と好は答えた。

「女の声のようだ。触らせろ」

「触ってみろ」好は言い返した。

私は、どんなに、誰か助けに来てくれないか、と祈っただろう。

しかし、他の人々は朝鮮人をこれ以上怒らせると、倉庫ごと中にいる日本人を焼き払うかもしれないと恐れていたので、誰もそういった若い女性たちを助けようとはしなかった。

酔った朝鮮人は大きな手を好の胸に当てた。

「平らだ」

彼は言った。

「男には興味がない」

男たちの集団は去ったが、彼らは悦楽を求めて人々の間をよろよろ歩き、そして娘たちを見つける度に外へ引きずり出した。たびたび女たちの悲鳴が響いた。

母も好もその夜、眠れなかったらしい。次の朝、二人とも目が充血していて疲れ切っているようだった。私が目を覚ますと、好は眠りたいから私が食べ物を探しに行くようにと言い、場所を説明してくれた。

声はまだ出ず、頭はガンガンと鳴り、喉は痛く、耳はズキズキと痛んでいた。私は朝鮮人がしていたようにリュックサックを頭の上に乗せて、好が教えてくれた建物に向かった。折った楓の枝で私はごみ箱をつついた。何滴か残っている牛乳パックがあった。小麦粉が残っている袋をいくつか見つけた。外で火を起こし、それを水で練れば団子が作れる。半分食べかけのパンがあった。茶色になったバナナ……なんてすごいごちそうだろう。私はごみをつつきながらバナナを食べた。まもなく私は一杯になったリュックサックを頭の上に乗せ、戻り始めた。

小さな小川で水を飲もうと立ち止まったとき、私は泣き叫ぶ声を聞いた。草むらの中で女性の上に乗った朝鮮人がいた。彼女は思いっきり男を蹴飛ばしながら、金切り声を上げていた。私の膝が震え始めた。両手で頭上のリュックサックを支えながら、出来るだけ速くその場を離れ、母と好の元へと急いだ。

「これ以上ここにいることは出来ないわ」

私が見たものを話し終えると、母はそう決断した。

「私たちは日本へ帰らなくちゃ」

しかし、母の目は涙でいっぱいだった。

「でも淑世が……。淑世は朝鮮で一人ぼっちになってしまうわ」

一週間後、貨物船がやってきて百人が日本へ行くことが出来る、と知らされた。私たちはその船に乗るため他の全ての人々と先を争って並んだ。しかし、乗船のためには、日本人は銃やナイフといった危険な武器を渡さなければいけなかった。

「家宝の短剣を渡すことだけは出来ない」

母はささやいた。

「渡してはいけないわ」

と好は同意した。

「お便所に行きましょう。列に残って荷物を見ていなさい、小っちゃいの」

二人が戻ってきたとき、好は左ひざを曲げずに変な格好で歩いてきた。

「小っちゃいの」

と母は低い声で言った。

「お姉様は足に怪我をしてしまったの。足にギプスをしているの、分かったわね」

母の意図するところを理解した私は、黙ってうなずいた。

船がついに埠頭に着くと、朝鮮人の係員が百人を数えた。

「九七、九八、九九、百。ここまで！」

その次の女性が叫び声を上げた。

「係員さん！」

それは中年の日本人女性だった。

「どうか父を私と一緒に乗せて下さい」

「だめだ。規則は規則だ」

他の係員たちと同じように、その係員も、私には意地悪に思えた。

「お前たちの政府が、いつも我々に言ってきた言葉だ」

「父は高齢で私が世話をしなければなりません。お金を差し上げますから、どうかお願いします」

「規則は規則だ」

そのとき、年老いた父親の後ろにいた男性が、女性と替わろうと申し出たので、女性と父親は二人とも留まることになった。

私は船が地平線の彼方に消えていくのを見ながら、ずっと夢見てきた母国への船に乗るまで、どのくらい待てばいいのだろうと思った。

百人が去ったが、また百人以上が押し寄せて来た。私たちは列をなして待ち続けた。次の船を逃すといけないのでその場から離れることはなかった。一週間後、船は戻ったが、私たちは次の百人にも入れなかった。

母は群衆の中、淑世を捜し続けた。左足が曲がらない好は、不格好に歩きながら、食べ物を探しに行った。

雨が降ってきた。私たちは体を毛布で覆ったが、すぐにびしょ濡れになった。雨は三日間降り続けたが、その間も、昼も夜も列から離れず地面に座りこんでいた。もちろん荷物もびしょ濡れになっていた。

私が咳き込み始めると、好は武田医師に貰ったアスピリンを思い出した。どういう訳か、アスピリンのことを今まですっかり忘れていたのだ。母も好も風邪気味だったので、三人で酸っぱい錠剤を砕いて飲んだ。

ついに再び船が見えた。好が便所に行ったついでに、人数を数えてみると、私たちは七九、八十、八一番目だった。

早朝から乗り込みが始まった。タラップを上がると、一人ずつ朝鮮人の係員による検査があった。武器を隠し持っていないかと、体も調べた。

検査は私から始まった。胸を触られると、痛みで思わずたじろいだ。すると咳が出て止まらなくなってしまった。包帯を巻いていることを見せるために、軍服のコートを引っ張り上げた。

「行け」

係員が言った。

私は家宝を持っている好が心配であった。係員はリュックサックを調べたが、生ごみからあさってきた食べ物しか見つからなかった。係員は好の胸、脇腹、背中、尻を触った。それから、彼の手はものの方へ動いた。好の顔は蒼白になり、私は震えた。係員は短剣を結んだガーゼに触れたに違いなかった。彼はガーゼを調べていた。

「私は足に怪我をしています。強く押さないで下さい。痛みますから」

好は痛そうに顔をしかめた。

「行け」

係員が言ったので、私はやっとほっとした。

汚れて湿った服を風呂敷に持っているだけの母は簡単に通されたが、小さい爪切りバサミが没収された。

船の甲板に場所があったので、私たちは毛布を広げてそこに座った。好は私に薄切りのかびの生えたパンを渡してくれた。ズボンでカビを拭き取って食べた。海が夕日の色に染まってきらめき始めた頃、船はゆっくりと埠頭を離れた。

「ついにやったわ！　もう脅えることはないわね」

好は言い、手すりにもたれた。

やっと！　もうすぐ私の祖母に会えるし、美しい母国を見られる。私も、好の寄り掛かっている手すりにもたれた。母は頭を両手でかかえ、毛布の上でじっと座っていた。潮風になびく髪は今ではすっかり真っ白になっていた。

好は、ゆっくりと消えゆく朝鮮半島をじっと見つめていた。涙が頬を伝っていた。家を離れてから好が泣くのを初めて見た。私は静かに母に歩み寄って座ると、母の顔も涙がこらえられず、ぐしょぐしょになっていた。

第六章　淑世の章（二）

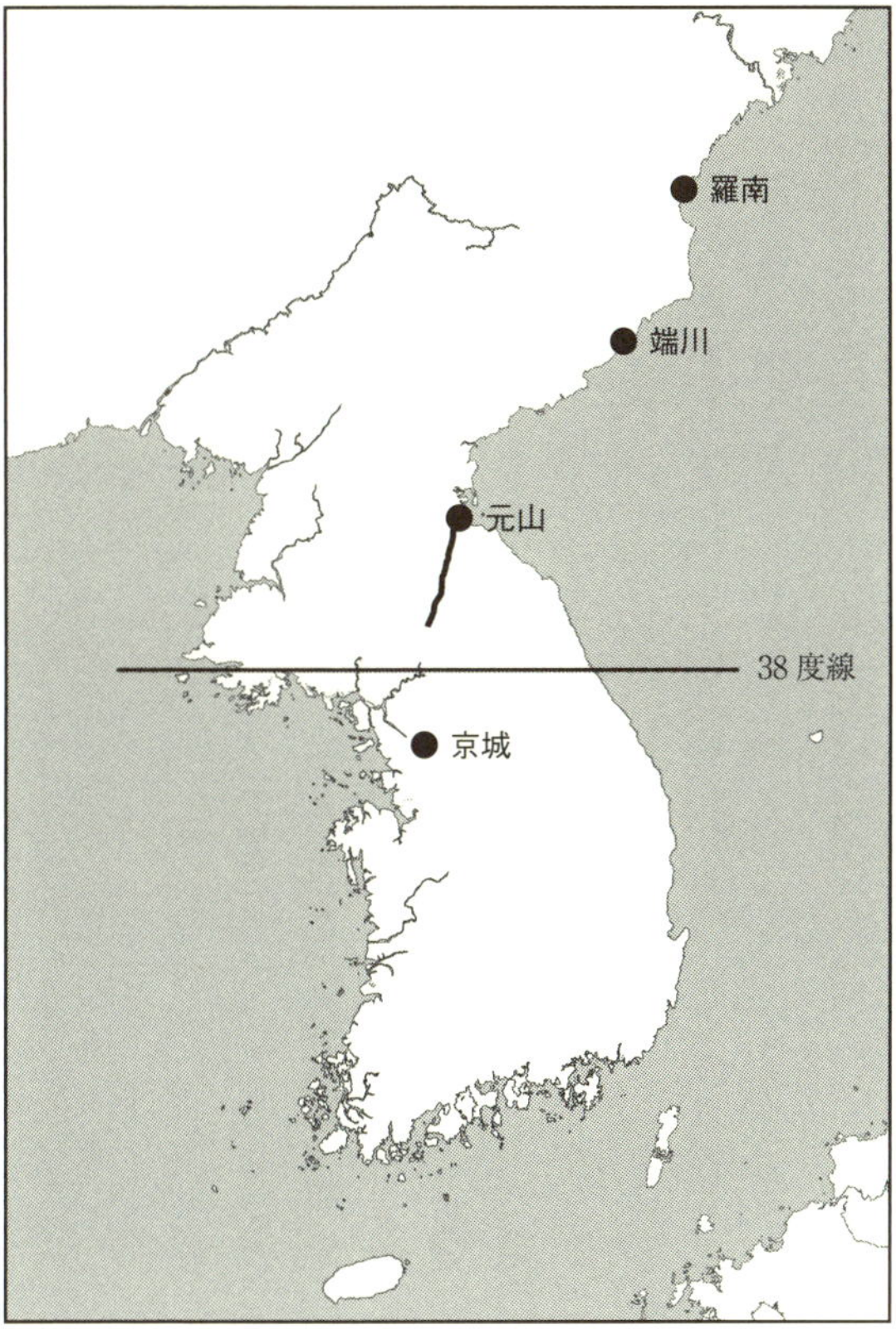

友人たちと別れ、兄・淑世は一人で京城へ向かっていた――

線路は二方向に分かれていた。

「どっちへ行こう？」

淑世はそこに立つと、沈みかけている太陽を道しるべにして、京城へ向かう南西の道を選んだ。暗くなるにつれて、線路は山脈を縫って峡谷に入った。淑世はキノコを見つけられそうだと期待した。二週間前に仲間と別れてから、ほとんど何も口にしていなかったのだ。

淑世は飢えばかりでなくひどい孤独感にも襲われていた。寂しさを紛らわすため、正一や眞蔵、誠と一緒に幼稚園のときからしてきたこと全てに思いを馳せた。いたずらをしたことを思い出しながら、微笑みさえした。

キノコを探すために線路から外れた。その日は月明かりがなくそれ以上進むことが出来なかったので、そこで寝ることにした。たくさんあったキノコをズボンやシャツのポケットやリュックサックのサイドポケットに詰め込むと、小さな火を起こした。キノコを焼いて食べながら、母や妹たちを思い、もし、まだ生きているのならどのように暮らしているのだろうかと心配した。持ってきた通帳を思い出し、母がお金を持っているかどうか案じた。

淑世は雁の鳴き声を聞き、黄昏の空を見上げた。雁はVの字になって、どこか暖かいところへと向かっていった。皆、楽しそうに鳴きながら飛んでいった。淑世は自分がそのうちの一羽であったらいいのになあと思ったが、慌てて「急がなくてはならない。僕は京城に着かなくてはならない」と自分に言い聞かせた。

火は次第に消えていき、淑世は夜明けまで眠ろうと森の奥深くへと進んだ。彼は妹の毛皮のコートを下に広げ毛布の中で丸まって寝た。地面はじめじめしていて、風は夏服を着ている淑世を容赦なく突き刺した。

突然目が覚めた。真っ暗闇の中で身を起こして耳をそば立てた。人間の声が風に混じって聞こえ、彼のほうに近づいてくる。朝鮮語だ。毛布とリュックサックを木の中に隠して、動物に見えるよう祈りながら、毛皮のコートで頭を隠した。

「火はまだ暖かいぞ」という声がした。

「暗闇だ！　避難民はそう遠くに行ってはいまい」

足音はだんだん近づいてきた。明るい懐中電灯に淑世は目が眩んだ。山を見張っている共産軍兵だと思った。何人いるんだろうか。静かにポケットからジャックナイフを取り出した。

探索している足音はあちこちから聞こえた。淑世の鼓動は早く、そして大きくなった。

「暗闇の中を探しても無駄だ」と同じ声がした。

「隊に戻って、明日の朝早く見回ろう」と違う声が聞こえた。

「とにかく今日はもう十二分に捕まえたのだから」

「何人だ？」とまた違う声が聞こえた。

「十六人だ。七人は日本人、あとは反共産主義者だ」

懐中電灯はまだぐるぐると辺りを照らしていて、幾度か淑世が隠れていた木の方へも向けられた。それは近づいてきた。淑世は木の後ろで小さくなって、ジャックナイフを右手に構えた。

「誰もいない。行こう」

話し声と懐中電灯の明かりは遠ざかったが、風はその声をはっきりと淑世が隠れているところまで運んできた。そして、やっと声が消えた。再び毛布にくるまった。疲れていたが、見回りが戻る前に起きられるかどうか心配ですぐに眠りに就くことが出来なかった。もし僕が懐中電灯を持っていたら、それに手拭いをかぶせ、手元だけ見えるようにして歩くのに、と思った。

目が覚めると、森は暗かったが東の空は淡いピンク色に染まっていた。素早く毛布の中に小さい毛皮のコートを丸めて、肩のリュックサックの上に掛けて、線路の方に向かった。それが京城への一番の近道だった。

太陽が昇るにつれて、山はだんだん明るくなった。昨夜、森の中に深く入って行ったため、これから向かう方向に確信が持てなかった。再び道しるべとして太陽を見た。下が急な崖になっている平地までやって来ると、木の枝をつかんで崖を降り始めた。助かった！　京城に向かい何キロも伸びている線路が光っていた。淑世は立ち止まり、安堵のあまりため息をついた。

それから、少し線路の前方を見ると、歩いている人々が見えた。

おそらく皆、避難民だろうと思い興奮した。ずっと一人だったので彼らを見てとても嬉しかった。残りの崖を転がるように下り、追いつこうと足を速めた。

すると突然、歩いていた人々の向こう側から機関銃の銃撃が始まった。淑世は一瞬動けなくなった。それから今降りたばかりの崖を駆け上がり、発砲したほうに向かった。人々は罠にはまったのだ。

「ちくしょう！　ちくしょう！　ちくしょう！」

悔しさの余り、淑世は思わず声を上げた。

平地は林になってきた。道はなかったが、押し分けながら進んでいった。

下に見える線路がざわめいていた。人々が撃たれたところの上まで来たようだったが、崖を下りて見る勇気はなかった。

「みんな死んだ！」朝鮮語を話している声が上まで届いた。

「所持品を調べろ。貴重品は全部取れ」と違う声がした。

「裸にしろ。金歯をしていたら、歯を引き抜け」

淑世は恐ろしさで震えていたが、ただじっと待っていた。

「全員、裸にしたぞ」と叫ぶ声がした。

兵隊たちは崖を登ってきており、淑世は必死になって隠れる場所を探した。茂みは無く、逃げ場を探そうと走れば、すぐに彼らに見つかるだろう。一本の松の木を除いては隠れるような大きな木はなかった。死んだふりをした方が良いのかと淑世は考えた。しかし、そうしたら彼らは裸にして金歯を引き抜き、貯金通帳も奪うだろう。

男たちはずっと近づいてきた。リュックサックを背負い、肩から毛布を掛けたまま淑世は松の木に登った。登るとき、毛布が滑り毛皮のコートが現れ、朝鮮服のズボンは尖った枝に引っかかり裂けた。もし僕がこのコートを落としたら一巻の終わりだ、と思った。左手で木を掴みながら、毛布から毛皮のコートを引っ張り出し、歯で袖をかみながら葉の茂った枝まで登った。そしてコートと毛布を抱きしめて座った。

思った通り、彼らは共産主義の兵隊たち四人で、略奪品で一杯になった袋を背負って崖を登ってきた。彼らはここに隠れて線路伝いの引揚者を見張っているに違いない、と淑世は思った。

「分捕った物を分けよう」

淑世はその声に聞き覚えがあった。昨夜のあの声である。

「今はダメだ。俺の家で集まって分けよう」

背の低い兵隊がリーダーのようだった。

「お前は欲しい物を一人占めして、また俺たちに屑を渡すんだろう」と話す低い声が聞こえた。

「そうだ」ともう一人も加勢した。

「黙って、俺の言うようにしろ」

「だめだ。今、宝を分けろ、さもなくば俺はお前のことを暴露してやるぞ」

突然、背の低い兵隊の機関銃が火を噴き、銃撃音が山中に響いた。煙は淑世が座っていたところまで上ってきた。

「さあ、お前たちも死にたいか、それとも俺の言う通りにするか」と男は言い、彼がたった今殺した男を冷たく見下し、立ち去った。

他の二人は立ちすくみ、互いに顔を見合わせた。風が吹き、松の木が揺れた。淑世は彼が座っていた枝が折れないようにと祈った。毛布とコートをしっかり持ち、なるべく枝の上に重さがあまり掛からないようにした。

殺人者は銃を肩に掛け、自分の袋も持たず、東の方へ大股に歩調を速めて歩いていった。二人はしばらく死んだ男を見つめていたが、やがて彼らはリーダーが残した大きな袋も背負って、走って追いかけていった。

淑世は辺りがすっかり静かになるまで枝の上にいた。毛布とコートを落とし、それから注意深く滑り降りた。死んだ兵隊の銃を調べたが、弾丸はなくなっていたので、奪っても仕方なかった。それに銃は持って行くには重たいだろう。そして、急いで南西へ向かったが、また元のところへ引き返した。

まだ温かい死体から注意深く軍服を脱がした。淑世が着ていた朝鮮服がひどく破れてしまったので、その軍服は役に立つからであった。コートは血が染みていたが、リュックサックに詰め込んだ。死んだ男の靴ひもをほどき片方を履いてみた。しかし小さ過ぎた。

たとえ道がなくても、森から離れないようにして一日中歩いた。遥か下の方でちらりと見える線路が道しるべであった。月が昇ってきた。でも体を引きずるように歩き続けた。次第に寒くなり、リュックサックから下着、靴下、学生服などを全部引っ張り出して身に付けた。そして一番上に李さんの家から借りた薄く擦り切れてしまった朝鮮服を着た。どうした訳かその朝鮮服を捨てることが出来なかった。きっと淑世が李さん一家を愛していたからだろう。

月日が分からなくなり始めていた。木々は紅葉し、葉がすでに落ちて寒そうに風に揺られている枯れ木もあったので、秋になったということだけは分かった。淑世は山中に迷い込んでからというもの全く水を見つけることが出来なかった。その上、食べたキノコはひどい下痢と腹痛を招いた。

ついに淑世は休まざるをえなくなった。小さな洞穴のような休むのに格好の場所を見つけたら、すぐに眠ろうと考えた。淑世は凍えていた。月は辺り一面を明るく照らす光を与えているのに、なぜ自分を暖める熱は与えてくれないのだろうか。美しい月は全く思いやりがないと思った。淑世は適当な場所を見つけると深い眠りに落ちた。

朝目が覚めると、霜が周りに厚く降りていた。深呼吸をすると、息が真っ白になった。足の感覚は無くなっていた。空腹による痛みが襲い、もうじき餓死するだろうと感じ始めていた。もし、歩き続けなければ、凍死するだろう。

小さい毛皮のコートで頭を覆いリュックサックを背負って、毛布を肩から掛けた。歩き始めたが、疲労がひどく速く歩けなかった。

木々の間から、野菜畑が見えた。食べ物だ！　畑の方へ重い足を引きずって行ったが、そこには何もなく凍った土のかたまりがあるだけだった。再び山の茂みへ戻り、歩き続けた。

何度となく歩くことをあきらめ、霜の下りた地面の上で眠りたくなることがあったが、何かが淑世に、「もし寝てしまったら再びこの世で目を覚ますことはないだろう」と告げていた。

雪が降り始めた。羅南で雪を見るのは楽しかったが、今はそれを憎んだ。空を見上げ口を大きく開け、雪を食べようとしたが、雪は空腹を満たしてはくれなかった。

「僕はこれを乗り越え生き延びなければいけない」

「母と妹たちに会いたい」

「三人とも、苦労しているに違いない」

「京城までたどり着かなければ！」

淑世は、そう自分自身に言い聞かせた。連絡が途絶えた遥か遠くにいる父への思いも込み上げてきた。

雪は吹雪に変わった。靴底はボロボロになり、朝鮮服は凍り、そして淑世は疲れ切っていた。一寸先も見えなかった。大きな木の根元に座り込んだ。とても眠りたかった。それでも、眠らないようにと頭を振った。僕はまだここで死ぬ訳にはいかない、と思った。しかし何も食べずあとどのくらい歩くことが出来るだろうか。

涙が流れ、あかぎれの顔にひりひりと染みた。手はひび割れ出血していた。まつげは凍りかけていて、何度も瞬きをした。

淑世はもう一度歩くことを決めた。全身の力を振り絞って立ち上がった。一歩進むと滑って転んでしまった。吹雪に立ち向かう力などなかった。再び立ち上がり一歩進んだ。転ぶたびに起き上がるのに苦労した。何トンもある岩のようにリュックサックが重くのしかかっていた。

突然、吹雪の中、木々の間から遠くにかすかな赤い明かりを見た。立ち止まって目を凝らした。

何もない。それから再び明かりが見えた。淑世を惑わす幻覚なのか。それともそれは農家なのか？　明かりを凝視した。するとそれは消えてしまった。眼鏡を外して拭こうとしたが服は凍っていた。それが何であっても僕はそこに歩いていかなければいけない。歩かなくては・・・。今度は、はっきりと明かりが見えた。一歩、もう一歩、そしてまた一歩と進んだ。枝に引っかかり、木の根につまずいて転んだ。そこで横になったまま、立ち上がる力はもうこれっぽちも残っていなかった。しばらくして淑世は頭を上げ、明かりの方へ這って進み始めた。明かりは暖かそうに見えた。自分が山の斜面を這いながら降りていることに気づいた。小枝が顔に当たっても凍えて麻痺した体は何も感じなかった。どんなことがあっても、あそこまでたどり着かなければならない。再び明かりに集中した。それはまるで淑世に早く来いと言うかのように、光っていた。

　淑世は立ち上がった。ひどいめまいを感じ、よろめいたが引きずるように歩いた。明かりの方へ、明かりの方へと。やっとの思いで小さな農家にたどり着くと、そこで気を失い、力尽き倒れてしまった。

第七章　擁子の章（五）

朝鮮半島を離れ、ようやく祖国・日本にたどり着く――

「あれが私たちの祖国よ、小っちゃいの」

母が、船から朝の深い霧の中に浮かんだ島を指差した。何キロものなだらかな丘が連なっていた。私たちは三日かけて荒れた朝鮮海峡を渡って、ついに日本の海域の対馬海峡に入ったのだ。私は船酔いをしていたが、それを忘れてしまうほど興奮していた。自分たちの国へ上陸し、歓迎され、何の危険もなくなるだろう。祖父母は、食べ物と上等な布団を用意してくれるだろう。私は早々とリュックサックを背負って毛布を羽織り、船の手すりにもたれて、次第に迫りくる島を見ていた。

船が博多に入港すると、〝係員〟という白い腕章を付けた日本人の男が、タラップに立っていた。メガホンを使って、何かを繰り返し言っていたが、私は彼の九州なまりが理解できなかった。母が、彼は「引揚者たちに名前の頭文字のある場所を各自で見つけるように」と言っている、と教えてくれた。そこで私たちは、大きなカタカナの〝カ〟を探し、約四十人がその看板の下に集まった。机に座っていた係員が無表情で名前を尋ね、そして若い係員が、私たちカ組の人々に、彼の後について収容所へと行くように言った。

ここ数年、私は母国の素晴らしい景色とそこに住む陽気な人々を夢見ていたが、この破壊された博多の町を見て、私は完全に打ちのめされた。

焼け野原、崩壊した家や建物、木々は枝をなくし、燃えた傷跡を残して痛々しく立っていた。

空は澄んで、さわやかだったが、一羽の鳥も見かけなかった。

「歌を唄い歓迎してくれる鳥さえいないの？」と空を探しながら、私は思った。

さらに、私たちがそれまで会った男たちの態度は、

「何しに来た？　お前たちなど帰って来なくていいのに」

と言っているかのようだった。

空ばかり見ていた私に、「気を付けなさい」と好が言ったが、私は砕けたアスファルトでつまずいて転んでしまった。起き上がると、左の靴の爪先が裂けて開き、靴底もはがれてしまっていた。靴底がパタパタと動くので、私は足を更に高く上げなければならなかった。

秋風は私の丸刈りの頭にも、体にもしみ始めた。収容所は、二時間ほど歩いた先の女学校の講堂で、船から下りた百人は行き先が見つかるまで、そこに留まることになった。再び私たちは狭い場所に押し込められたのだった。私たち親子は片隅の小さな場所を確保すると、荷物を下ろし休んだ。お腹が空いていたが、私たちを連れてきてくれた係員が、食べ物は自分たちで探すようにと言った。その他、屋外で料理をすることと、学校の便所を使うことが許された。

私のリュックサックの中には、半ば腐ったリンゴとミカンの皮が入っていた。

「待って。それを食べちゃダメ」好が制止すると、私を外へ連れて出し、

「石を探しておいで」と言った。

好は拾ってきた石で小さな円を作り、火を起こし、リンゴの腐っていない部分を細かく切り、

水を加え、二つの飯盒で煮た。リンゴが煮えると、注意深く火を消した。そして講堂へ飯盒を持って戻ると、

「祖国での初めての食事よ」

と元気よく振る舞った。まず、母のお椀にたくさんついだ。

「そして、焼きトウモロコシを食べて以来、初めての温かい食事よ」

と言いながら、残りを私たち二人の椀に分けた。

母はお椀を持ち、長い間湯気の立つリンゴ汁を見つめていた。母はそっと首を振った。彼女の声は涙で震えていた。

「ここに持っているこのお椀や少しの所持品だけが、私たちが愛した家の、唯一の思い出の品になってしまったね」

そう言いながら彼女は、ゆっくりとお椀を唇へと運んだ。

母国での初めての夜、私たちは毛布を二枚、下に広げ、一緒に寄り添うと、母の大きな毛布を掛けた。かつては、ふわふわで真っ白だった私の毛布は、灰色で、汚く、血で汚れていた。私は、もう飛行機の音に脅えたり、襲われる心配もなく、安眠できると分かっているはずなのに、ときどきハッとして目が覚め、誰かが私を襲ったり、所持品を盗んだりするのではないかと心配で、むくっと起き上がった。また、便所に行くときには、そこに男の人が隠れているような気がして怖かったので、好を起こした。

次の日、母は青森にいる祖父母に、「無事着いた」と電報を打ったため、一人で郵便局へ行った。

二日後、収容所宛に電報が戻ってきた。配達不能であった。

母は、心配で気が気ではなかった。母の両親に何が起こったのか？　好はすぐに母の故郷の青森へ行くことを提案した。

「駄目よ、淑世を置いては行けないわ」

母が言った。

「私たちは内地では安全なので、今は淑世のことだけが気掛かりなの」

声は震え、涙声になった。

私たちが深く愛する父のことを、もっと心配しないのか不思議だった。心配する心の余裕がなかったのかも知れない。しかし、父が、今は戦勝国であるソ連軍に捕まって、とても遠くにいるのだろうということは、察しがついた。私たちは、どこかで父が無事でいることを祈っていた。

収容所に入ってからの私たちは、毎日毛布を丸め、荷物を背負い、朝鮮からの漁船が着いていないか、誰か淑世を見てないかを聞きに、長い道のりを船着場まで歩いた。母は何度も何度も淑世の人相を話しては尋ねた。次の週もまた次の週も、私たちを運んできた船が、百人の引揚者を乗せて朝鮮から帰ってきたが、淑世の姿はそこになかった。


十一月になった。私たちが収容所で過ごし始めてから一ヶ月以上が経ち、新たに来た人に場所を空けるために退去するように、と言われた。

「お願いします。あと一週間！」

母は頼んだ。

「私たちは息子を待っているんです」

しかし、私たちは他の引揚者が必要としている場所を占領していた。淑世はもう死んだかもしれない、とさえ言われた。

「今日、出ようよ。私はこんな扱いに耐えられないわ！」

好はそう言うと、独りで港の事務所に行き、「青森に行く」と淑世への伝言を残してきた。事務所で、汽車の切符を三枚もらった。朝鮮で見慣れた汽車より、日本の汽車ははるかに小さく、私は驚いた。その汽車は腐った魚の臭いがした。

私たちは三等車に乗ることが出来たが、そこは引揚者と復員兵であふれていた。通路は立っている人がいっぱいで、若い男たちは客車の脇にへばりつき、屋根の上から、つるについた葡萄のように人々がぶら下がっていた。

好は、汽車がどこかの駅で止まれば、多くの人が降りるから、きっと座れる場所が見つかるよ、とささやいた。青森までずっと立っているのは、とても無理だと思ったのだろう。しかし、私は祖父母に会えると思うとわくわくして、たとえどんなに疲れても、お腹が減っても、文句を言わない、と心に誓った。汽車はゴットンゴットンと揺れて走った。ところが、母は私たちに京都で降りるように言った。好と私は同時に口を開いた。

「おばあ様の家には行かないの？」

「その事は何度も考えたけれど、あなたたちは学校へ戻らなくてはいけないし、京都は空襲を免れた数少ない都市なのよ」

「いやよ」

好は反対した。

「一緒に東北へ行かせてよ。学校は待ってくれるわ。私たちが行っていないのは三ヶ月だけだし、もう数日休んだって問題ないわ」

しかし、母は首を振った。そして、京都は母が若いとき、教養を身につけたところであり、学ぶべきものが数多くあると説明した。

「そこに知人がいるの？　どこに泊まればいいの？」

好が聞いた。

「私たちで泊まる場所を見つけるの。あなたたちの教育が先よ」

母は好に言った。

「なるべく早くあなたたちを落ち着かせたら、すぐ私は東北へ行き、何があったか調べてみるから」

「学校には行きたくないよ」

私は言った。

「お母様と一緒に行きたいよ」

だが母は目を閉じて何も答えなかった。

駅では多くの人が汽車を降りたが、代わりにさらに多くの人々が乗り、私たちはさらに奥に押し込められた。その度に、私の怪我をした胸が痛み、それをかばって無意識に痛いところに手をやった。好は便所の壁にもたれ掛かり、母は好に、私は母に寄り掛かっていた。

汽車に乗ってから三日間ずっと何も口にしていなかったので、私は空腹と喉の渇きでとてもつらかった。背中のリュックサックを降ろす場所さえなく、私は、母に、リュックサックのふたを開けて、何でもいいから見つけてと頼んだ。母はミカンの皮を少し渡してくれた。それはカリカリに乾いていたが甘く、すっぱい味がした。何度もよく噛んで、それからゆっくり飲み込んだ。母も好も同じようにした。

私の足は棒のようになり、もう立っていられないと思った。それだけに、汽車が京都駅に着いたときは心底ほっとした。

駅の構内で私たちは体を休める場所を見つけた。駅の周りを調べに行った好が、駅の外に井戸があると教えてくれたので、母と私が早速、水を飲みに行った。その間、好は荷物を見張っていた。井戸から水を汲むとき、炎のように赤い西の空が、水に映った。私は突然、淑世を思った。兄は私たちを捜し当てることができるだろうか、それとも彼は本当に死んでしまったのだろうか？

私は泣き始めた。母が「どうしたの？」と尋ねたので、

「京都は嫌いよ。お母様と一緒に行きたい！」

と言った。淑世のことを話したくなかったのだ。

「擁子は世の中の好き嫌いを受け入れるようにならなくてはいけないのよ」

母が涙に濡れた私の顔を拭きながら言った。

「戻って来たら、もう二度とあなたたちを置き去りにしないことを約束するね」

それから、私たちは駅でいつものように、良い場所を見つけ、交代で寝たり、持ち物を見張ったりしていた。リュックサックや毛布などのわずかな品々が、今となっては唯一の自分たちの持ち物だった。

翌朝、私が起きると、好は井戸で服を洗濯していた。手伝おうと駅の外へ出て行くと、地面に霜がたくさん降りていた。無駄とは分かっていたが、私が数センチ延びた髪を寝かせようと濡らしていると突然、好が叫んだ。

「見てごらん！　市電だ」

私は一度も市電を見たことがなかったので、驚いたまま呆然と立っていた。乗客が乗り降りした後、電車はチンチンとベルを鳴らして、動き出した。降りた人は元気良く駅の中へ歩いて行った。彼らは素敵な服を着て私たちの目の前を通り過ぎた。

「仕事に行くんだろうね」

好が言った。彼らは私たちとは別世界の人たちだった。

駅の中には、私たちのような引揚者の他、乞食、負傷兵、すり、孤児、売春婦などがいて、ここで生活しているというのに、ほんの少ししか離れていないところでは、帰る家のある人々がきちんとした身なりをして、平和そうに仕事に出かけて行くのだ。

母は標準服を着て、靴のほこりを落とし、学校のことを尋ねに市役所へ行くことにした。母はシュミーズのポケットに入っていた小さな財布から好に十円を手渡し、「もし、物売りを見たら、何か食べ物を買いなさい」と言った。そして、出口で警察官に道を尋ね、軽く会釈をして言われた方へ歩いて行った。

「お母様はひどく痩せてしまったわね」

好が言った。

「たくさんの食べ物でお母様を驚かそうよ！」

道を四区画隔てたところにステーションホテルがあった。私たちは荷物を背負って、建物の裏通りに出かけた。大きなごみ箱に、ご飯、食べかけの焼き魚、漬物、焼き海苔があった。それらを飯盒いっぱいに詰めて、急いで駅へと帰った。

母がとても疲れた様子で帰ってきた。私たちはベンチを見つけると、飯盒を開けた。

「良い学校を聞いてきたわ」

母が言った。

「明日、あなたたちを連れて行ってあげる」

「着て行く服がないわよ」

私は反対した。

「それに、このぱっくり破れた靴を見てよ。学校になんか行きたくない」

母は私に、「勉強して教養ある人になるために学校へ行くのよ、だから自分を飾る必要などないでしょ」と言った。

その日の好は、とても忙しかった。私が羅南を出たときに着ていた薄い夏用のズボンと、ブラウスの陰干しをしてくれた。

好が頭を洗ってくれたので、私は、また髪の毛を寝かせようとしたが、乾くとすぐに立ってしまい、まるでヤマアラシのようだった。好は井戸で、ブラウスの下に手を伸ばして、私の背中を拭いてくれた。そして、明日は早いから、ベンチの下へ入って、早く眠るように、と言った。私は「明日が絶対に来ないで、学校へ行かなくてもいいように」と願いながら、コートと軍服を着て、毛布にくるまって寝た。

次の日の朝早く、母は私を起こした。好が私に、顔を洗って羅南で着ていた服を着るように言った。

このときの母の行動は変だった。大きな風呂敷の中身を出して、その風呂敷を持って便所へ行った。しばらくして戻って来ると、その風呂敷で再び粗末な所持品を包むように好に言った。

好は、私にしっかり勉強するのよ、と言って、見送ってくれた。母と私は市電の停留場へ向かった。学校へ行きたくなかったけれど、市電に乗ることはとてもうれしかった。窓から街の景観を見ているとき、母は古い建物や城を指しながら説明してくれた。

「擁子はきっとここを好きになるわ」

そういって、母は私を安心させた。

山のふもとに椿と竹林に囲まれた二階建ての女学校が建っていた。私たちは霜で真っ白になっていた運動場を通った。

校長室で母の隣に座ったとき、私の心臓は大きく鳴った。頭の中は不安でいっぱいだった。私を受け入れてくれるかしら？　女学生たちは私を好きになってくれるかしら？　親切にしてくれるかしら？

ガラス戸越しに私はきれいな鞄を持った身なりの良い女学生たちを見た。それから自分を見下ろすと、擦り切れたズボンと靴を履き、その上、左の靴はずいぶん前に母が私の手首を結ぶのに使っていた細引で結ばれていた。

上品な服を着た事務員が、母にお茶を持って来て、おじぎをした。だが彼女が立ち去るときに私の頭をちらりと見て、笑いをこらえていた。私がおかしく見えることは承知の上だったが、無駄だと思いながらも、髪の毛を落ち着かせるために、再びなでた。

「おはようございます」

男の人が入ってきた。

「私が校長の石田です」

母も私も立って深々と頭を下げた。私の膝は震えはじめた。母は私たちを紹介し、学校が私を受け入れてくれるかどうかを尋ねた。

「娘は七月から学校に行っていないのです」

そう言って、校長先生に両親の名前、父の仕事、家庭状況を書いた書類と、羅南から持ってきた成績表を渡した。校長は書類を詳しく調べた。どこからか「美しく青きドナウ」の歌声が聞こえてきた。

　もし、学校が私の編入を認めなければ、母と東北へ行けるのだと、私はぼんやり考えた。好が学校に行っている間、母は私を一人で駅に残しておくようなことはしないだろう。私は学校が受け入れてくれないことを望み始めていた。

　突然、校長先生は母を見て、それから私に目をやった。そして驚きを隠せぬように、

「あなたたちは無事帰ってこられたのですね！」

「はい」

　母の声は低かった。

「ご主人も？」

「分かりません。夫は、私たちが逃げたとき、仕事で満州にいたのです」

　淑世のことを聞かれれば、母は泣き崩れてしまうことが分かっていたので、校長が兄のことに触れずに話を済ませて良かった、と私はほっとした。

「喜んで娘さんを受け入れましょう」

　と校長先生が言った。

「擁子さんはすぐに追いつけると思います。授業料は月に三十円で、教科書や学用品を買って頂きます。全て事務員の指示に従って準備して下さい」

　そして校長先生は浅田先生を呼んだ。浅田先生は紺のスーツと白いブラウスを着たきれいな女性だった。彼女は私の成績表をよく見てうなずいた。

「ここの学校制度は朝鮮とは違いますので、擁子さんに幾つか試験を受けて頂きます」

そう言うと、私を机のところに連れて行き、試験問題と鉛筆を渡してくれた。母が校長先生と話している間に、私は算数、国語、作文、知能検査に取り組んだ。ふと顔を上げると、母が校長先生におじぎをしているところだった。

「行かないで！」

と頼んだ。

「好を学校に連れて行かなくてはいけないの」

と、母は私に帰りの電車賃三円をくれた。

「帰り方が分からないよ！」

「三番の市電に乗りなさい」

母は再びおじぎをして、校長室の戸を開け、静かに閉めた。私の目は、母が見えなくなるまで、上品に歩いて行く母の姿を追っていた。突然、私は守ってくれる人がいなくなったことで、捨てられてしまったような気がして、涙が止まらなかった。左手でげんこつを作り、母や好と別れたさみしさをこらえるために、出来るだけ強く親指を噛んだ。ハンカチを持っていなかったので、鼻をすすったり、袖で涙を拭いたりして試験を終えた。涙でしみだらけになった問題用紙を校長先生に渡すと、浅田先生が採点するために戻ってきた。

「良く出来ています」

彼女は私に微笑んで答えた。石田校長先生も浅田先生も二人とも親切で、私はこの学校が大好きになれそうだと思った。校長先生が生徒手帳をくれたとき、私は一層彼を好きになった。

それから浅田先生に連れられて私は教室へ向かった。二人が廊下を歩いていると、騒々しい声が教室から聞こえてきた。しかし、浅田先生が戸を開けると、急に教室は静まり返った。三十人の女生徒たちが私を一斉に見つめた。教室には先生がいなかった。

「皆さん。川嶋擁子さんです」

浅田先生が私を紹介した。

私は深くおじぎをしたが、おじぎをする代わりにみんなは笑い出した。その笑い声は止まらなかった。髪のせいだ！　と私は思った。髪の毛を平らに寝かせようとした。浅田先生は語調を強めて言った。

「静かに！　川嶋さんは朝鮮から帰ってきたばかりです。優秀な生徒です。この学校に慣れるように仲良くしてあげて下さい」

浅田先生は私の方を向いた。

「今日のあなたの掃除当番ですが、この教室を掃除する班に入って下さい」

それから彼女は私に後の席に着くよう言った。私はひどく惨めな気持ちであった。素敵な洋服を着た彼女たちと一緒にいるのは場違いな感じがした。みんな髪は長く、三つ編みしている子もいた。

しばらくして、男の先生が入ってきた。歴史の先生だった。私は教科書も紙も鉛筆も持っていなかったので、先生の話を聞くだけである。また孤独感に襲われたが、私は袖口で涙を拭いながら、鼻をすすっていた。母や好のいた駅まで帰りたくて、学校の終わるのが待ち遠しかった。

授業が終わった後、掃除当番で残らなくてはならなかった。数人の女生徒が教室から出るときに、屑かごに紙を投げ捨てていった。それを見てある考えが浮かんだ私は、その屑かごを見てみた。くしゃくしゃにされていたものの、ほとんどが白紙か、裏側は何も書かれていなかった。その紙を拾い、しわを伸ばした。私は鉛筆も捜したが、一本も無かった。

「もっと紙が欲しいの？」

一人の女生徒が私に聞いた。彼女はノートで飛行機を作り、私にねらいをつけた。他の女生徒たちは笑い出した。紙飛行機が飛んできたとき私は唇をかんだが、涙は流さなかった。紙を集めることは、ごみ箱から食べ物をあさるよりはるかに簡単だったからだ。女生徒たちを無視して、私はその紙飛行機を広げて、しわを伸ばした。

教室には六人が掃除当番で残っていた。私は雑巾を持っていなかったので、ほうきを持っていた子に、

「私に掃き掃除をさせて」

と頼むと、彼女は私にほうきを押しつけて何処かへ行ってしまった。掃きながら、はたきをかけていた女生徒たちに近づくと、彼女たちは伝染病患者にでも出会ったかのように、私から逃げていった。もし、彼女たちが私たちのような経験をしていたら、もう少し思いやりがあっただろう。

「彼女たちは何も知らないんだ！」

そう思いながら掃除を続けたが、また涙が込み上げてきた。母や好だけでなく、父や淑世にも、

とても会いたかった。

やがて、中年の小使さんが大きな荷車を押しながらやってきた。彼はほとんど何も入っていないごみ箱を見て、どもりながら言った。

「ごごご、ごご、ごみはないの？」一人の女生徒が彼の真似をした。

「あああ、新しい、ごごご、ごみの女の子はいるわ」

彼女は私を指差した。女生徒たちはこの物真似を聞いて笑い転げた。その男性はちらりと私を見て、去っていった。私は彼の後を追って隣の教室まで行った。

私は、父が昔、級友のどもりの人に、ゆっくり話し続けて治った話を思い出し、彼に向かってゆっくり話してみた。

「小使さんは紙屑を燃やすのですか？」

彼はうなずいた。

「私は紙と鉛筆がとても必要なんです。焼く前に、ごみを全部見せて下さい」

「いいい、いいとも、小使室に、き、き、来なさい」

私はさらにゆっくりと話した。

「今日、私は初めて登校しました。小使室はどこですか？」

彼は小使室の場所を教えてくれた。集められたごみの中から、まだ使える紙をたくさんと、短い鉛筆を数本と、消しゴムを見つけた。それらを全て拾い集めた。お姉様はこのお土産を喜ぶだろう。私はその小使さんにお礼を言い、ようやく落ち着きを取り戻して、校門を出て市電の停留場へと急いだ。

市電の中で、今日習った歴史と地理の授業内容を思い出せるだけ書き留めた。

「教科書があったらなあ！」

私は自分の教科書を古本屋で手に入れるまで、浅田先生に教科書を貸してもらえないかと頼んでみることにした。

見覚えのある京都駅が見えてきたので、紙の束を両手に抱え、飛び降りた。駅のコンクリートの床の上で、荷物を見張っていた母は、私に笑いかけてくれた。

「お帰りなさい。どうだった？」

「女の子たちはとても威張っていたけど、授業は好きよ」

「世の中にはいろんな人がいると、そのうちに分かるわ」

母は言った。

「擁子はそういう人たちとうまくやっていけるようになるでしょう。ただ、人間としての良識だけは失くさないでね！」

「お姉様はどこにいるの？」

「まだ帰っていないわ。好は私が少しでも休めるように、と一人で学校に行ったのよ」

私が母に小使室から拾ってきた紙や鉛筆を見せると、母は微笑んだ。

「お父様がお帰りになれば生活は良くなるわよ。だから今は、耐えなければいけないわ。今までのことを思えば何にでも耐えられるわ。そうでしょ？」

「はい！」

と私は元気に返事した。好は女子専門学校の入学試験に合格して、入学を許可された。好は私の紙や鉛筆を見て喜んだ。私は、嘲笑や軽蔑されたことを苦々しく思い出しながら、好の一日はどうだったか尋ねた。

「良かったわ」

好は答えた。

「みんな笑わなかった？」

「笑ったわ」

「それで、どうしたの？」

「何もしないわ。彼女たちはまだまだ未熟よ。私の頭がどれだけ良いか、見せてやったわ」

その日、私たちは駅のコンクリートの床に座って勉強をした。母は待合室のベンチが空くのを見ると、さっと取り、私たちに来るように手招きをした。今では、私たちには寝る場所と、ごみ箱から拾った食べ物があるので心配はなかった。私たちの授業料もすでに半年分が納めてあった。

母は、明朝東北行きの始発列車に乗る、と言った。母はほとんど現金を持っておらず、通帳さえ持っていないことを知っていたので、私はどうやって汽車賃を払うのか不思議に思った。好もそう思っていた。

「昨日、路上で体を売ってなんていなかったでしょうね？」

好は母にからかいながら尋ねた。母は笑った。

「そんなことするはずないでしょ。朝鮮から少し現金を持ってきたの。心配しないで、私のために一生懸命勉強して頂戴ね」

私たちは母を見送るためにいつもより早くに起きた。母は好に学用品や、固形石鹸、歯ブラシ、市電の学割切符などのために当座必要なお金を渡した。

「金曜日に戻ってくるわ」

汽車が走り出すと、窓から母がそう叫んだ。

第八章　母の章

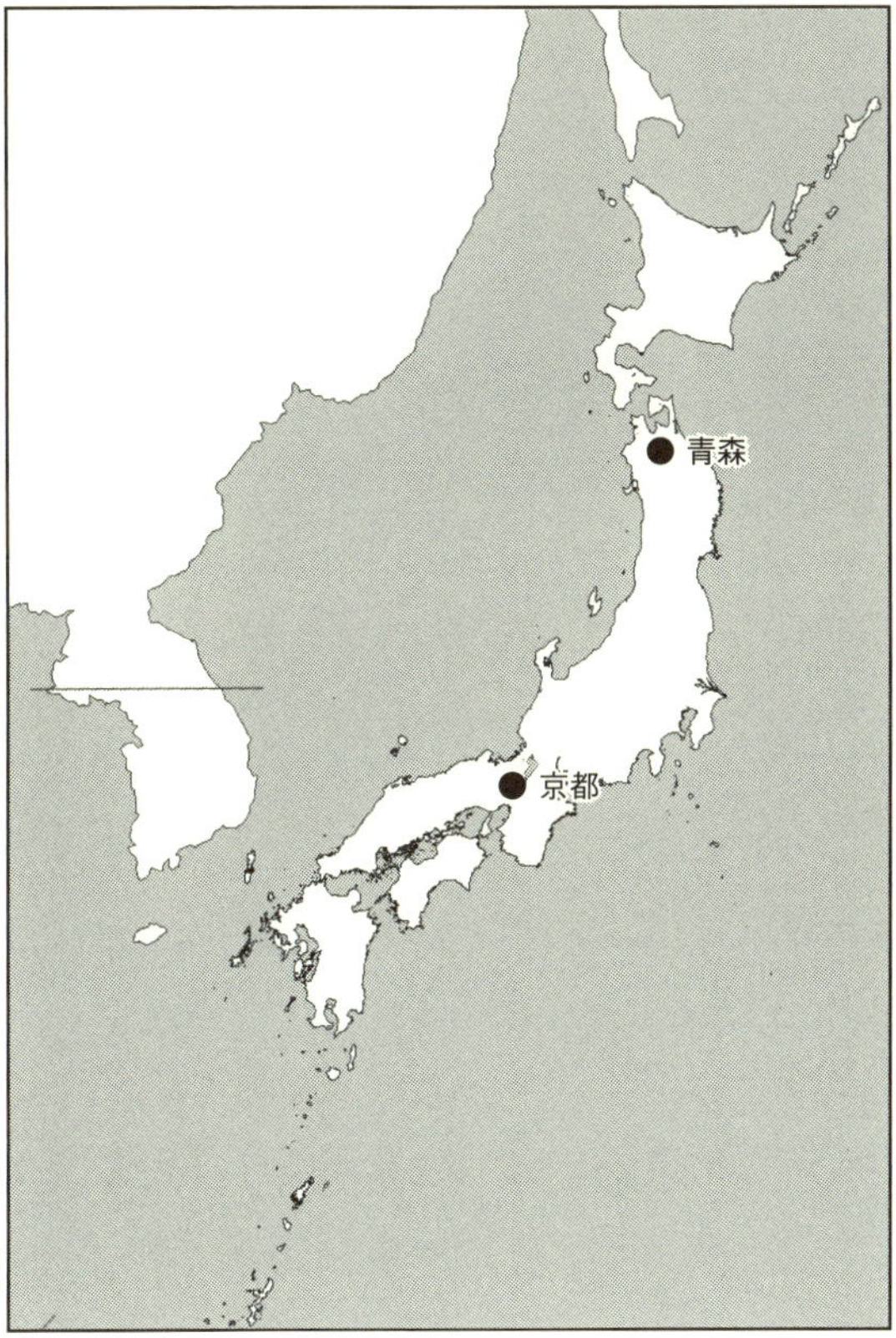

母と離れ、女学校での生活はさらに不安なものとなった――


好はリュックサックを整理し直した。私のリュックサックの中に集めた紙を全て入れ、自分のには飯盒、水筒を五つ、食器、マッチ、そして蝋燭を入れた。そして両方のリュックサックを私に担ぐようにと手渡すと、自分は大きな風呂敷包みを背負った。

「さあ、学校へ行こう。駅の時計の下で待ち合わせね」そう言って、好は学校に向かった。

私が教室に入ったとき、一人の女の子が大声で、

「あなたはごみ拾いに二つもリュックサックを持ってきたの？」

と大声で言った。

このときばかりは、言い返した。

「それがどうしたというの？」

みんなは笑った。私は好が言ったことを思い出し、気にしないようにしたが、心の奥底では、いつかその女の子をぎゃふんと言わせたかった。

小使さんは、私が放課後に行くと、まだごみを燃やしてはいなかった。私は彼ととてもゆっくりと話した。

「京都は朝鮮北部よりもずっと暖かいですね」

私がこう言うと、彼は羅南についていろいろと尋ねた。とてもゆっくり話したので長い時間が

かかったが、彼は楽しんでくれたようで初めて笑顔を見せてくれた。

数日後、私が小使室に走っていくと、彼はいなかった。いつものように私が必死に帳面に出来る紙を選んでいると、彼が背中を軽く叩いた。

「ご、ごみの中からこれらを拾っておいた。つ、使えると、お、思ったので」

と言い、私にコンパスとハサミ、計算尺、それに辞書をくれた。

「まあ、どうもありがとうございます」

私はゆっくりと返事をした。

「これだけ揃えてもらうと、私は良い成績を取らなくてはいけませんね」

「あ、あなたは良い子だね」

私は〝良い〟という言葉が、彼の口から流暢に出たことに気づいた。

「明日また会いましょう」

彼の返事を期待して言った。

「さようなら」

とてもゆっくりだったが、どもらずに言った。

「さようなら」

私は同じように返した。

駅までの道すがら、私の心は弾んでいた。友達が出来ただけでなく、彼がほとんど普通に話せるようになっていたからである。私は好に早く知らせたかった。父は正しかった。もし、みんなが、小使さんにゆっくり話してあげたら、どもりを克服できるだろう。

学校に通い始めて五日目の朝、私が教室に入って行くと、女の子たちが、皆、掲示板に集まっていた。何を見ているのだろうと近づくと、彼女たちは二つのリュックサックを持った私を見て、ばらばらに散っていった。掲示板には、リュックサックを背負った私が小使室でごみを拾っている姿が大きく描かれ、絵の下に、

〝民主主義制度万歳！　高名な我が女学校はごみ拾いを生徒として受け入れた〟

と書いてあった。

もうこれ以上我慢できない。この教室でもう一日も過ごすつもりはなかった。

しかしそのとき、大きな声が聞こえた。小使さんだった。

「いまいましい生徒たちだ！」

彼は大声で怒鳴った。その言葉は少しもどもっていなかった。彼は掲示板に大股で歩み寄って絵をはがし、ビリビリに破り捨てると、私に「教室に入りなさい」と言った。

私は、彼が普通に話したことがうれしかったので、悔しさも忘れて、彼を見て微笑んでしまった。小使さんは、

「そうやっていつもニコニコしていなさい」と言って去っていった。

その日は何とか我慢して授業を終えた。これが最後の日になるかもしれないと思ったので、小使室に少し長くいて、彼と話をした。

帰りの市電の中で、もうこれ以上学校へ行くつもりはないことを、好にどう伝えればいいか悩

んだ。好が時計の下で待っていなかったので、少しほっとした。

五時になり汽車が到着すると、家路を急ぐたくさんの人々が降りてきた。私はどんなに彼らがうらやましかっただろう。私には家がない。父もなく、兄もなく、そして今は母もいない。気が強くぞんざいで、ときどきとても威張る姉がいるだけだった。

それでも、好は私を愛してくれている。ごみ箱からあまり食べ物を見つけられなかったとき、私の鈍感な脳味噌は、食べ物がなくては働かないし、冬の風が私を吹き飛ばしてしまうから、と言って自分の分をほとんど私にくれた。

しばらくして、好が一番重い荷物を背負って早足で近づいて来た。前かがみになって歩いている様子を見て、少し父の姿に似ていると思った。父はいつもうつむいて考え事をしながら、庭をぶらついていた。

好が私を見つけた。

「ずいぶん待った？　何か食べ物を探しに行こうよ」

夕食と朝食を探すために、私たちは路地のほうへ歩いて行った。私はまだ好に何と言っていいか分からなかった。

「考えがあるの。これから毎日二時間ぐらい遅く帰って来るから、あんたはその間宿題をしていなさい。私は家に帰る途中で食べ物を手に入れるから。その方が時間の節約になるしね」と好は言った。

「どんな考え？　どうしてお姉様は遅く帰るの？」

私は聞き返した。

「学校でやることがいろいろあるからよ。質問はしないこと！」

結局、その日、私は決心をしたことを、好に伝えられなかった。


そうこうするうちに数日が過ぎた。いやいや学校に通い続け、その数日を私はやっとのことで耐えていた。

金曜日、母が戻ってくる日だ。私は好に学校をサボっていいか聞いた。

「だめよ、授業料は前払いしているんだから、一日も無駄にしてはだめ！」

私は学校が終わるのが待ちきれなかった。学校でたとえどんなに軽蔑されようとも、母が戻ってくると思うと、うれしくて、うれしくて、まるで絹の雲の上を一日中歩いている気分だった。

その日も、私は紙を拾うため小使室へと走った。そして学校が終わると、停留場まで走った。電車さえゆっくり走っているように感じられた。私は、駅へと走りながら、目は母を捜していた！

母は毛布にくるまって、一人ぽつんと座っていた。寂しそうでとても小さくなってしまったように見えた。

「お帰りなさい」

と私は走りながら叫んだ。

「寂しかったよぉ！」

母は私を見上げると微笑んでくれた。ひどく青ざめていて、唇は真っ白だった。

「お母さんも淋しかったのよ。とっても！」

私は、母と隣にいた女の人の間に割って入り、母の顔を見つめた。

「大丈夫？」

「ちょっとめまいがするだけよ。疲れたんだわ」

母の息遣いが荒かった。

「おじい様、おばあ様はどうだったの？」

母は弱々しく首を振ると、

「七月の空襲で皆、死んでしまったわ。お父様のご両親も」

そう言って、母は、話すのをやめてしまった。

「何もかも焼けてなくなってしまったの」

私は全く信じられなかった。

「私たちはこれからどうすればいいの？」

私は落胆を隠しきれずに、ゆっくりと言った。

私は母方の祖母の家に行き、世話になるのだろう、と思っていたからだ。

「分からないわ」

母は苦しそうに肩で息をしていた。

「土地を売りに出して、町役場に好の学校の住所を残してきたわ。もしかしたら淑世かお父様から連絡があるかもしれないから」

母は涙を流していた。

「好は遅いんじゃないの？」

母は両目を閉じた。

そばにいた女の人が立ち上がったので、私はそこに移動し、母にもっと楽になれるようにと場所を空けた。横になった母は、頭を私の膝に乗せた。

「好が来たら起こしてね」

突然、私は大人になった気がして、急に母を守らなければいけないという使命感に駆られた。そして、急いでコートを脱ぎ、やせ細った母の肩にかけた。毛布は好が風呂敷包みに入れて持って行ってしまっていたのだ。

好はどうして遅いのだろう？　だんだん腹が立ってきた。

「小っちゃいの」母が言った。

「喉が乾いたわ」

私は水筒を引っ張り出して、井戸へ飛ぶように走った。母は病気だ、母は病気だ！　私は水筒ごと井戸の桶に浸した。一刻も早く一杯にしたかった。私は大急ぎで戻った。

母はわずかに頭を起こして水を飲んだ。

「ああ、ありがとう。おいしかったわ」

そして、また横になった。

「早く好が来てくれないかしら」

息を切らしながら言った。

「すぐ来るわ。もうすぐ！」と私は母に言った。

「食べ物を持って来てくれるのよ」

私は、絶え間なく構内を流れる人の群れを目で追いながら、好は二時間もかかるようなことなど思いつかなければ良かったのに、と思った。

母は弱々しい声でいった。

「小っちゃいの、好は来たかしら？」

「もうすぐよ、お母様」

「しっかり守るのよ。風呂敷をしっかり守っていなさいね。放したらだめよ！」

そう言うと、母の頭は私の膝からずり落ち、そして右腕も落ちた。母はそのまま動かなくなった。

何が起こったか、私にも分かった。私は、絶叫した。

「お母様、お母様が死んだ！　お母様が死んだ！」

そしてしばらく泣き叫び続けた。


人々が私たちの周りを取り巻き、警察官がすぐにやって来て、私の名前や、母の名前、年齢、出身地を質問した。

ようやく好が戻ってきた。検死を終えた医師は、母が死んだことを告げた。好もすぐには信じることが出来なかった。

何が起きたの？　お母様は、何をしていたの？　何と言っていたの？　好に聞かれるまま、私はすすり泣きながら答えて、母がどんなに好に会いたがっていたかを話した。

「こんなに遅くまで学校に残らなければ良かったのに」

好は母の横にひざまずき、母の髪を後ろに掻き上げた。唇をきつく噛み、涙を見せまいとしていたが、堪えることはできなかった。好はわっと泣き出した。

「せっかく羅南からここまで来たのに。なぜ今、なぜ今になって？」

母にすがりつき、泣いた。それから食べ物で一杯の飯盒をさっと掴むと、コンクリートの床に投げつけた。蓋が開き食べ物が散らかった。見物人、乞食、孤児、駅に住んでいる人が、すぐさまこのご馳走に群がった。


警察官が葬儀屋に電話をし、二人の男が来た。彼らは好に、どんな棺がいいか、尋ねた。好はお金が無いので、棺を使わずに遺体を火葬する方法がないかと尋ねると、彼らは、遺体を松の板に乗せ、火葬場に運ぶのはどうかと言った。

「いくらですか？」

「前払いで二十円だ」

好は、お金を見られないように隠しながら、母の財布を開いてお札を数えた。私はどことなく二人の男の態度が気に入らなかったので、好に朝鮮語で彼らは騙すつもりじゃないかと言った。

好はうなずいた。

「二十円は高すぎるわ。松の板はそんなに高くない」

好は言った。

「ガソリンとトラック使用料もかかるんだよ。トラックはガソリンをたくさん喰うんだ」

と男は言った。

「火葬場まではどのくらいですか？」

「とても遠い。一時間半くらいかかる」

好はちょっと考えて、再び尋ねた。

「どんなトラックですか？」

「ダットサンだ」

「ダットサンならそんなにガソリンを喰わないわ。二十円は高すぎます」

「前払いで払うのか、払わないのか、どっちだよ」

と男は好に言った。

「松の板とトラックを持って来て下さい。そして私たちを火葬場まで連れていって下さったら、お支払い致します」

「前払いでないとだめだ」

と葬儀屋は言った。

「それじゃ、市役所に連絡してきます。市役所なら無料でしてくれるでしょうから」

と好は言った。

男たちは出口に向かったが、一人が戻ってきた。

「仕方ない。お前たちを連れていってやるよ」

その男は言った。

警察官は私たちの周りにいた人々を皆追い払って、私たちに付き添ってくれた。好が、母の着ている標準服の隠しポケットを全て調べ、紙幣と硬貨を少し、それから母が朝鮮からの引揚者であることを示す身分証明書を見つけた。私はそれらを自分のリュックサックに入れた。それから好は母の胸元から家宝の短剣を取り出し、自分の胸元に入れた。

すすり泣きながら、最後のお別れにと、湿らした布で母の顔を拭き、髪をといた。母の靴下は片方に穴が開いていたので、好はそれを脱がし、自分のを履かせると、最後に母の両手を胸の上で組ませた。

一人の婦人が私たちに近づいて来たのは、そのときだった。その人は私たちのように駅に住んでいる人ではなく、一度も話したことがなかったが、毎日よく見かける顔であった。

「増田と申します」と自己紹介をした。

「私はあなた方が着いてからというもの、あなた方をずっと見ていました。近頃、お母様の姿が見えないのでどこかにいかれたのかしらと、不思議に思っていたのです」

「母は用事で東北へ行っていたのです」

と好は答えた。

「お母様のことは本当にお気の毒でした。私に何かできることはありませんか？」

「私たちはトラックを待っているところなのです」と好は増田さんに話した。

「聞いていました。ここから近いところに火葬場があります。一緒に火葬場に行ってもいいかしら。一時間半もかかりませんよ」

「もし一緒に来て下さるのなら、母も喜ぶでしょう。でも、どなたかを待っているのではないのですか」

好は聞いた。

「京城から帰って来る姪を待っていましたが、最終列車に乗っていませんでした。だからもう家に帰るところなんです」

トラックが来て男たちが母の遺体を板に乗せ、板ごと荷台に積んだ。好と私は、荷物をトラックに放り込んで荷台に飛び乗った。増田さんは運転手に、火葬場に行くように言った。そして、二十分ほどで到着すると、運転手に五円払った。

火葬場の責任者の男性は親切だった。その責任者と職員たちは母を板に乗せたまま運び、火葬炉の入り口から丁寧に入れた。そして「もし良ければ火をつけてください」と言った。私は泣きじゃくって、増田さんにしがみついたが、好は勇気を奮って火葬炉の入り口に火をつけた。炎は瞬く間に広がったが、私は見ることなど出来なかった。

「明日の午前中には終わるでしょう」

と、責任者が言った。

続けて「骨壺を選んで下さい」と言われたが、好は大切な母のために骨壺を自分たちで用意すると言った。

私たち三人は駅まで歩いて戻った。丘を下るときに振り返ると、夕日は色あせ、火葬場の煙突から煙が空に広がりながら、ゆっくりと上がっていた。私たちは言葉もなく、好は風呂敷包みを、私は二つのリュックサックを背負い、増田さんと私は手をつないで歩いた。

増田さんが沈黙を破った。

「あなたたちは行く当てがあるの？」

「いいえ」と好は言った。

「でも私たちは少なくとも、あと六ヶ月間この町にいたいと思っています」

好は学校について説明した。

増田さんは私たちに、彼女とご主人が町の西側にゲタ工場を所有していること、そして倉庫が盗難に遭ったことを話してくれた。

「あなたたちが住み込んで見張ってくれたら嬉しいわ。それに、学校がもっと近くなるわ」と付け加えた。

好は礼を言い、明日、母の遺骨を拾った後に伺いたいと伝えた。

「それなら駅まで迎えに行きましょう」

こうして増田さんは、私たちの新しい友人となった。

しかし不思議なことに、増田さんのこのありがたい申し出を、私たちはあまり喜べなかった。

あまりに悲しみが深すぎて、住む場所などさほど重要に思えなかったし、駅に住むことが当たり前に思えてきていたからだった。

その夜、私たちは眠れなかった。


次の日、朝日はとてもまぶしかった。好は、私に母の飯盒を洗い、よく乾かすようにと言った。

「それがお母様の骨壺よ」

時計が九時を鳴らすと、私たちは荷物を背負って火葬場に向かった。

到着するとすぐに、羅南からずっと持ってきた箸で私たちは丁寧に母の小さな遺骨を飯盒に入れた。私はむせび泣いた。

ああ、お母様！

それから好は火葬代を払い、私たちは飯盒の骨壺を持ち帰った。

駅に向かう途中、小さな寺に寄り、僧侶に母のためお経を唱えてくれるようにと頼んだ。しかし、作務衣姿の僧侶は私たちをじっと見て、

「忙しい」

とつっけんどんに言うと、ふすまをぴしゃりと閉め、奥へ入っていってしまった。

母の骨壺を私はきつく抱いた。

「ひどい坊主ね！」

と好は叫んだ。

「お坊さんは慈悲深い方々だと思っていたけど、ここの坊主は違うのね。さぞすばらしい修行をなさっているんでしょう！」

と皮肉たっぷりに言った。

私はこのとき、一生お寺には行くものか、と決心した。

駅では増田さんが待っていた。増田さんが連れていってくれた倉庫は、市電の線路のすぐ傍だった。細い道が倉庫と工場を繋いでいて、その後ろに小川が流れていた。二階は、小さな窓と裸電球のある四畳で、台所はなかったが、外で炊事をするのに、工場から出る木くずは自由に使っても良いとのことだった。

それから彼女は、「部屋は長い間掃除してないから」と、私たちにほうきとバケツと雑巾を貸してくれた。

好と私は、さっそく倉庫の掃除をし始めた。まず隅の蜘蛛の巣を取り除き、好が畳を掃き雑巾で拭いている間に、私は窓を洗った。次に、二人で階段をゴシゴシ洗い、入り口を掃いた。掃除が終わると、私たちは手と顔を洗いに小川に行った。

それから部屋に母のための仏壇を作った。母の擦り切れてしまった湯上げタオルをたたみ、その上に飯盒の骨壺を置いた。私は小川で母の水筒を満たしている間に、好はきれいな楓の小枝を取ってきた。それを二人で水筒に生けて、母の仏壇に供えた。好は骨壺の前に母の短剣を置いた。

私たちは母の遺骨に深く頭を下げた。

「お母様、どうかお姉様と私を見守って下さい」

第九章　好の章

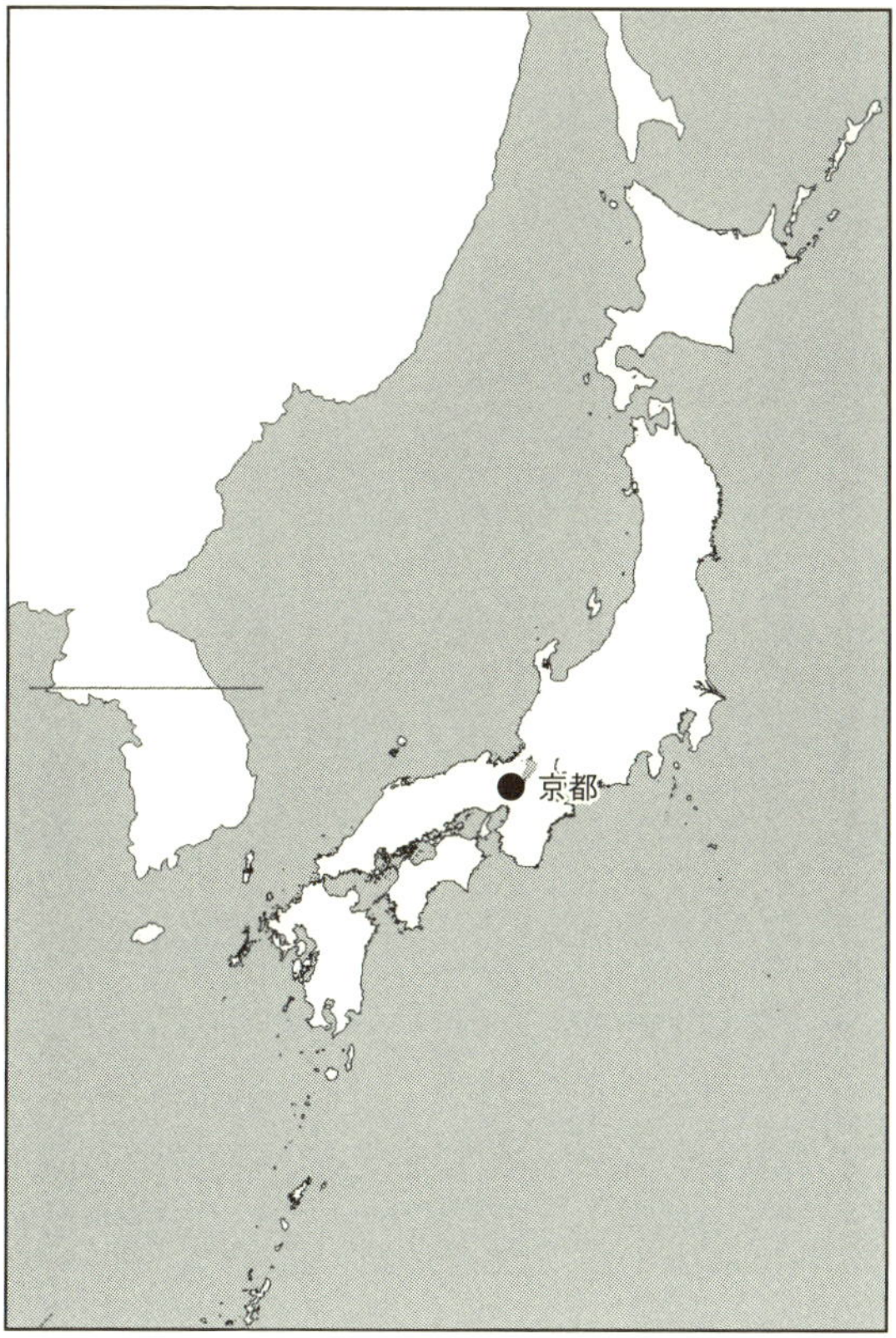

姉の後悔。そして私たちは、新しい生活の拠点で再スタートを切った――

好は、母が亡くなる前に駅に戻れなかったことをとても悔やんでいた。

「もうほんの三十分早かったら……」

そう言ってむせび泣いた。

「私もお姉様に早く帰ってきて欲しかったわ」

私は人ごみの中でどんなに好を捜したか思い出し、泣きながら言った。それから母が私に言った言葉を思い出した。

「お母様は、風呂敷包みを決して放さないで、と言っていたわ」

「当然よ！　その中には下着や着替え、そして重要な書類が全部入っているんだから、リュックサックのよりも大事なものなのよ」好は言った。

「でも、お母様がそんな意味で言ったようには聞こえなかったわ」

私は、持っていなさい、決して放さないで、と言ったときの母の様子を思い出して言った。

「私は風呂敷そのものが大事だと言っていた気がするの」

しかし、好は後悔で頭が一杯で、私の言葉など、それ程重要なこととは思っていなかった。

「お腹空いてる？」

しばらくして、好は私に聞いた。

「それよりも疲れたわ」

そう言うと、私は畳の上に横になった。畳は古くかび臭かったが、私の背中には心地良かった。そのちっぽけな四畳は、私たちを風雨と外敵から守ってくれるのだ！　明日は日曜日だ！　明日は心ゆくまで朝寝坊しよう。

「ねえ、私が駅にあったもので何を懐かしいと思っているか、分かる？」

突然、好が聞いた。

「何？」

私は、好があのひどい環境を懐かしがっているのに驚いた。

「時計よ！」好は答えた。

「今、何時か分からないもの。だんだん暗く寒くなってきたわ」

「じゃあ、寝ようっと」

駅での悲しみを思い出したくなかった私は、無理に明るい声を出した。

一枚の毛布を床に広げ、残り二枚の毛布を上掛けにしてくるまった。好が毛布の中に入ってきた。好は私に寄り添って来て、「駅よりも寒いね」と言った。二階からの隙間風が入ってくるからだ。

「でも、泥棒や襲われる心配をしないで眠れるわ」

私は〝駅〟という言葉を好が二度と口にしないように、心から願いながらを返事した。

〝駅〟と聞くと、私はどうしても母の死んだときのことや、最後の言葉を繰り返し思い出さずにいられなかったのだ。暗闇の中で私は母の骨壺の方を向き、母が話しかけてくれるように願うと、何度も寝返りを打った。

「どうかしたの？」

好が聞いた。

「眠れないの」

「疲れているんじゃなかったの？」

「お母様の最後の言葉が気になって仕方がないの」

「お母様は、ただ、風呂敷包みの中身をしっかり失くさないように、と言っただけよ」

好は言った。

「さあ寝ましょう。明日あなたに何か美味しいものを作ってあげるからね」

私はしつこく聞き返した。

「じゃあ、この質問に答えてよ。お母様がお手洗いに着替えに行くときは必ず風呂敷を持って行ったわ。ほら、お母様はお手洗いに行く前に風呂敷を全て空にし、用を足して戻ってくると、またお姉様に包ませたわね」

「だって、お母様の下着の脱ぎ方やズボンのはき方は人と違っていたわ。着替えの度に、お尻を隠すのに風呂敷を巻いていたのよ」

「鍵の付いた小さなお手洗いでも？」私は言った。

「公衆便所の鍵は当てにならないわ、それにお母様は昔風の人だったでしょ」

また好が私の方へ寄り添ってきた。好の体は温かく、しばらくすると冷えていた私の体も温まり、眠ることが出来た。

長い警笛を鳴らして通っていく市電の音と倉庫の揺れで、目が覚めた。夜が明けていた。好はぐっすり眠っていたので、私は静かに横になっていた。好は朝食に何を作ってくれるのだろうと、私は楽しみにしていた。温かいご飯と、豆腐とねぎがたくさん入った美味しい味噌汁だったら最高のごちそうだ。

そういえば、増田さんがトラック代を出してくれたので、好はそのときの二十円を持っていたはずだ。それで今日の食事を作ってくれればいいのに、と思った。美味しい食べ物のことを考えると、余計にお腹が空いてきて、好が早く目を覚ましてくれないかと願った。

寝返りを打つと、母の仏壇があった。私は、再び母の最期の言葉を思い出した。

「あの風呂敷を調べよう！」そう思い立って、毛布から静かに抜け出した。

「何をごそごそしているの？」

好が眼を覚ました。

「今日は日曜よ。寝ようよ」

「風呂敷を調べるの」

「後にしなさい」

でも私は、もう眠れなかったので風呂敷包みまで這って行った。二重の柔らかい木綿でできていた風呂敷包みは、好がしっかりと結んでいたので、なかなか結び目を解けなかった。

「お姉様、起きて」

「起きているわよ」

「結び目を解いてくれたら、もう眠る邪魔はしないわ」

好は、小っちゃいのは騒々しいんだから、とぶつぶつ言いながら、結び目を解いてくれた。私は靴下や下着、着替えのズボン、ブラウスを取り出した。一番下には保険の書類、出生証明書、成績表や父の印鑑があった。その印鑑はひすいで出来ていた。

「ほら！　小っちゃいの。お母様はこれが大事だと言っていたんだわ」

印鑑を拾い上げながら好が言った。

「これはとても大切なものだもの。たぶんお母様は私たちに保険金を貰って欲しかったのよ」

好は保険証書を見たが、どの保険も戦争に敗れた今となっては、無価値であることを私たちは知っていた。

「さあ、元に戻しなさい」

好はまた毛布の中に入った。私は書類を元に戻し、その上に粗末な私たちの服をきちんと畳んで載せた。風呂敷の一つの端を折り曲げて畳んだ。反対側の端も折り曲げようとすると、そこが少し重く硬く感じた。私がその端を持つと、布の間から紙が滑り落ちる音がした。

「お姉様、起きてよ」

私は立ち上がり明かりをつけた。

「今度は何よ？」

好は不機嫌そうだった。

「布の間に何か入っているみたいよ」

すると、好はむくりと起き上がった。好は風呂敷の中の物を全部取り出し、そして、縫い目を注意深く調べた。私が触った端はジッパーになっていた。好がそれを開けると風呂敷が二枚に分かれ、そこには四角いポケットが付いていた。

好は他のポケットのことは全部知っていたが、このポケットは知らなかった。そこから千円札と百円札を次から次へと引っ張り出し、それから淑世と好と私の貯金通帳も出した。貯金通帳のお金は、私たちが逃げる二週間前の七月十五日に引き出されていた。やっと、私はなぜ母が便所に行くときに、いつも風呂敷を持っていったのかが分かった。母は着替えるのではなく、お金が必要だったのだと。

好が数えると、三万六千円程あった。私たちはびっくりして顔を見合わせた。

「お母様は朝鮮から現金をいくらか持ってきたと言っていたわ」

好が言った。

「ここが隠し場所だったのね」

好は全額を元に戻すと、このお金を使うつもりはないわ、と言った。私たちが病気になって医者にお金を払わなければいけないときなど、万一に備えるためであった。そして、もし火事になったら必ずこの風呂敷包みを持ち出すようにと、好は私に念を押した。

「外へ行って顔を洗いましょう」

一番上の毛布を畳みながら好が言った。

柔らかい朝の光が窓から差し込み、背中が暖かかった。

水は氷のように冷たかったが、私たちは顔を洗った。倉庫の周りを歩いて戻ると、捨てられた古いリンゴ箱を見つけた。それは食器をしまっておくのにちょうどよい大きさで、お膳や勉強机にもなりそうだった。二人でそれを洗い、階段にひっくり返して乾かしておいた。倉庫の外に蛇口があったので五つの水筒に水を一杯に詰めた。

日曜にもかかわらず、私は倉庫で人の気配を感じた。戸が開いていて、増田さんと松葉杖をついた男性の姿が見えた。彼女も私たちに気づき、おいで、と手招きをした。そして、話していた人を夫だと紹介してくれた。

私たちは、彼の倉庫に泊めてもらった感謝の気持ちを込めて、深々と会釈をした。

「あなたたちのことは聞いています」

ご主人が言った。

「良く眠れましたか？　怖くはありませんでしたか？」

「いいえ、おかげさまで良く眠れました」私は答えた。

「でも、市電が通ったときに目が覚めました」

「始発の電車だね、五時三十分の。私も起こされましたよ」彼が言った。

「もし必要なら、なべを貸しましょうか？　古いものですが幾つか持っていますから。私たちの家はあそこです」増田さんは線路の向こうを指差した。

「ありがとうございます」

礼を言って、好は尋ねた。

「ちょっとお聞きしますが、この辺りに八百屋はありますか？」

雑貨屋が東に約一キロのところにあると聞き、私たちはそこまで歩いていった。好は米を四合買い、味噌を二百グラムと新鮮な豆腐一丁を買った。私はよだれが出そうだった。さらに好は縫針と糸、剃刀の刃と洗濯石鹸一個を買った。

「剃刀の刃で何をするの？」私は聞いた。

「朝ご飯を食べたら、軍服の縫い目をほどくのよ。冬用のコートを作ってあげるわ」

好が答えた。

私がなべを二つ増田さんから借りにいっている間に、好は倉庫の外で火を起こした。それから、米を一合炊き、味噌汁も作った。ねぎは入っていなかったが、私が想像していたものとほとんど同じだった。五ヶ月ぶりに朝食らしいものを食べた。

「良くかんで、ゆっくり食べなさい。残ったら夕食に回すわね」好が言った。

好は食器を洗いに小川まで行き、私は倉庫の陽の当たる壁にもたれて座り、軍服をほどいた。剃刀で縫い目を切りながら、もし、あのとき飛行機が爆弾を落とさず、共産軍の兵士が死んでいなかったら、今頃どうなっていたのだろうと考え、ぞっとした。生と死が、ほんの一瞬で分かれたのだと思った。

三着の軍服は小さな布切れに変わった。ほどいた布を川に持っていき、一枚一枚石鹸をこすり付け、工場の人から借りた木の棒で叩き洗いをした。つらい過去を忘れようと、血の染みが付いているところを特に強く叩いて洗った。

だんだん、ここでの生活にも慣れた。工場の人たちはラジオをかけながら仕事をしていた。また、工場には、小さな柱時計が掛けてあった。工場では朝八時から夕方四時まで働いていたので、おおよその時間も知ることができた。他に、始発の五時三十分と終電の深夜十二時三十分、増田さんが工場を閉める午後四時三十分が、私たちの時計代わりだった。

十二月に入り、霜がたくさん降りるようになっていた。軍服のコートはまだ出来ていなかったので、私は夏用のズボンとブラウスに羅南から持ってきた赤い小さなコートを着ていた。

初雪が降ったとき、私は毛布をケープ代わりにした。学校の教室に入ると、六十の瞳が私をじろじろ見た。私は見つめ返した。そのとき一人の女生徒が言った。

「ぼろっ切れ人形！　そんな格好で学校に来て恥ずかしくないの？」

「恥ずかしい？　どうして？」

強い口調で私も言い返した。

「授業料は払ってあるわ。私はこの学校に来る権利があるでしょ」

私は毛布を畳みいすの背にかけて、英語の教科書を取り出し読み始めた。

「ごみあさりやぼろ切れ人形なんて、あの子の名前にぴったりじゃない」

もう一人が言った。しかし、吉田先生が入ってくると、静かになった。彼女たちは先生が来ると、いつも話を止めてしまう。自尊心の強い私は、自分がどんな扱いを受けているのか、先生に告げ口することなどできなかった。

　私は、彼女たちがいかに世間知らずかを、言ってやりたかった。そして生と死についても、もっと学ぶべきだということを。しかし、そんな衝動を必死に押さえ、逆に私はぼろ服を着ていても、どんなに勉強が出来るか見せてやろうと思った。彼女らを成績で打ち負かそう。今の私にとって成績だけが唯一の武器になっていた。

　教室では悲しいことばかりだったが、小使室で、つい最近名前が分かった内藤さんとおしゃべりすることが、学校での数少ない楽しみになっていた。内藤さんは学校で唯一の友達だった。内藤さんはいつも私のために、本やのり、色鉛筆やクレヨン、墨、そして筆などをごみの中から拾って取っておいてくれた。

　一緒に紙を拾いながら、内藤さんは、どもりのせいで海軍に入隊できなかったことを話してくれた。彼は、初等教育しか受けていなかったので仕事を探すのに苦労をしたそうで、ようやくこの仕事を見つけたのだった。

「男の人は皆戦争で亡くなっているか、怪我をしてしまっているから、学校は普通に話せる人を雇うことができなかったんだよ」

　いつしか内藤さんが、私と話をするときにあまりどもらなくなったことを、私はとてもうれしく思った。もし父が帰ってきたら、きっと彼を完全に治してくれるだろう。

「もし父が無事に帰ってきたら……」私は内藤さんに微笑みながら話した。

「父に会ってくれますか？　父は立派で面白い人です」

「お父さんは帰って来るよ。絶対に帰って来る」内藤さんはそう言って私の背中を軽くたたいた。

彼はいつも私の味方をしてくれたが、私はこの感謝の気持ちをどう表したら良いか分からなかった。そのとき、私は決心した。この学期の終わりに、全課目、甲の成績表を見せてあげようと。

ある日のこと、小使室を出ようとした私は、手押し車が空き缶と空き瓶で一杯になっているのに気づいた。どうするつもりなの？　と聞いた。

「売るんだよ」

内藤さんはゆっくりではあるが、どもらないで話した。

「女学生はとても贅沢だよ。ほとんどみんなが名家の子供たちなので、ひどく甘やかされているんだ」

「もし私が空き缶を持ってきたら一緒に売って下さいますか？」

「いいとも。いつでも持ってきていいよ」

内藤さんは、ゆっくりとどもらずに言った。

その日から私の歩く姿勢が変わった。空き缶や空き瓶を見つけるために下を見て歩くのが習慣になった。それらを見つけるたび好のリュックサックに入れ、それを内藤さんのところへ持っていった。

物価は、私たちが帰国した時の三倍になっていた。相変わらず好と私は、貧しい暮らしを続けていた。というのは、好が母の隠していたお金には、一切、手を付けなかったからだった。好は女子専門学校で家政学を専攻するかたわら、時折、仕立物を持ち帰ってきた。彼女の仕立てを気に入った講師たちが、百貨店からの依頼を任せてくれるのだ。好のデザインする婦人服も評判がよかった。

百貨店へは残った布地を返す必要が無かったので、好はそれで赤ちゃんや子供の服、人形などを作った。私は出来上がったものを学校の帰り道に一軒一軒回りながら売り歩いた。

「そのお金はあなたのものよ。それで靴を買うといいわ」

好がそう言ってくれたので、私は新しい靴を買うために一生懸命頑張った。売上金はみんな母の骨壺の下に隠した。こうしておくと、母が私のお金を守ってくれているようで安心だったからだ。

好は級友に、布の切れ端を取って置いてくれるように頼み、それで新年用のお手玉を作った。好は私にお手玉の作り方を教えると、毎晩宿題が終わった後に、二、三個作るようにと言った。年の瀬も迫り、幼い子供のいる家庭はお手玉を買いたがっていたし、私も早く新しい靴が欲しかったのだ。

ある日の午後、たくさん出来たお手玉を持って少し遅くなるまで売りに歩いた。帰路を急ぐのに線路を通り、電車が来ると横へ飛んでよけた。駅のベンチに捨てられ、風で飛び散っている新聞紙は、いつもの通り燃料にするために拾った。

好はすでに帰っていて、夕食の用意をして、私を待っていた。

「なぜこんなに遅くなったの？　心配していたのよ」

「全部売ってきたわ」私はとても誇らしげに言い、骨壺の下にお金を置いた。

「暗くなる前に帰ってきなさい。あちこちぶらぶらするんじゃないの」

私は言い返した。

「私はぶらついていたわけじゃないわ。靴が欲しいだもん」

「靴なんかよりあなたの身の安全の方が大事だわ。さあ食べよう」好が言った。

食事をしていた好は、たまたま新聞の一面に目をやった。そして、食べるのを止めて新聞を手に取った。政府が舞鶴を新しく朝鮮や満州から帰国する引揚者のための港とし、また、残留日本人を帰国させようとソ連と交渉している、と書いてあった。

「私たちが着いた博多港は今週にも閉鎖されるらしいわ。舞鶴に引揚者の収容所も移動されるわ。ここからたった汽車で一時間のところ。週末に、お父様と淑世兄様のことを調べに行こう」

そして、政府が新年のお祝いに引揚者に布団を提供するという、もうひとつの良い話も好は読んでくれた。

「吉田総理大臣は物分かりが良くなった」と笑いながら言い、言葉を続けた。

「引揚者だという証明を市役所に持って行きさえすれば、いいんだって。金曜の午後に早速行こうね」

私は掛け布団と敷き布団の間で寝られることを考えただけで興奮して、金曜日が来るのが待ち遠しかった。金曜日、好は布団を縛るための長い細引きを二本、増田さんから借り、私たちは市電に乗った。

好は私たちと母の引揚者証明書を窓口で見せた。

「三人ですか?」受付の男の人が聞いた。

「もう一人は?」

「母は来られませんでした」

好が答えた。

証明書に判をもらうと、奥の倉庫で女性事務員から布団を受け取った。綿の詰まった一組の布団を紐で結ぶと、好は私に背負わせた。布団はずしりと重く、私の足はふらついた。好は他の二組を背負った。

市電を待っている間に、私がなぜ母の証明書を持って行ったのかを尋ねると、好は母の死を申告していないから京都市は母が生きていると思っているわ、と答えた。そして、

「お父様やお兄様のために余分に布団を取っておかなきゃ」

背中の布団はだんだん重くなり、細引きが私の傷跡に食い込んできたが、私は文句は言わなかった。他の人のように布団で寝られる喜びで興奮していたからだった。

私は布団で寝るのが待ち切れなかった。配給された布団は私たちが朝鮮で寝ていたものには程遠かったが、毎晩全く火の気のない倉庫で身震いをしながら寝ていたので、何よりもありがたかった。

その夜、好と私は遅くまで起きて縫い物をした。好は子供用の服を作り、私は小さな人形とお

手玉を作った。それが済むと、私は大事な仕事に取り掛かった。新聞紙に墨で淑世の名前を大きく書き、隅に私たちの住所も書き添えた。好は小麦粉と水でなべ一杯の糊を作った。

翌朝は冷え込み、小川に氷が張った。私は顔を洗うためにその氷を割らなければならなかった。好は割った氷を飯盒に入れ、火にかけて溶かした。そして、沸いたお湯を借りた洗面器に入れ、二階まで持って行って顔を洗った。飯盒に残ったお湯は飲んで体を温めた。

屋外の便所へ行くのも寒くてつらかったので、私は好に先に便所へ行ってもらった。それは好の体の温もりが、しゃがんだ私の足元を少しでも温めてくれるからだ。

それから私たちは舞鶴へと向かった。好は昨夜の縫い物を、私は糊と淑世の名前を書いた紙を持った。淑世の名前は引揚収容所にある到着者名簿にはなかったので、私たちは手分けして掲示板や港の壁などあらゆるところに貼り紙をした。ほんの小さな隙間でさえも、たくさんの人の名前や伝言で埋め尽くされていた。

その土曜日は一日中、港の近くで商品を売り歩いた。小さな子供連れの主婦が数人、お手玉や服を喜んで買ってくれた。興味は示すのだが買わずに行ってしまう人もいて、がっかりすることもあった。また、着飾ってきれいに化粧をした主婦が私たちを見ると、戸をぴしゃと閉めてしまうこともあった。それでも、私たちは一日中、家を一軒一軒回って売り歩いた。

やっとそれらを売り尽くしてしまうと、好はリアカーの焼き芋屋から、焼き芋を二つ買った。私たちは海岸近くのコンクリートの防波堤に座って足をぶらぶらさせながら、五、六センチに伸びた髪を十二月の風になびかせて、焼き芋を食べた。太陽は鮮やかな深紅色を水面に映しながら、ゆっくりと沈んでいき、闇が辺りをすっぽりと包んでしまうと、二人で手をつないで家へと向かった。

とうとう大晦日がきた。その日、好は気分が悪く、寝過ごしてしまった。慌てて寝床から飛び起きると、学校に遅れるとぶつぶつ言い、私にこう命令した。

「私は学校ですることがあって遅くなるから、まっすぐ帰ってきて火を起こしておきなさい」

「なぜ大晦日にそんなことをしなければいけないの？」私は文句を言った。

「火を起こすのなんて怖いわ」

「やりなさい！　もういろいろ学んでもいい年頃よ」

好は本と毛布をつかんだ。

「必ず、鍵をかけること」

私は好に嫌気がさしていた。好は学校に残るからと言って遅く帰ったから、母の死に目に間に合わなかったのだ。どんなに母が会いたがっていたことか。母が死んでからというもの、好は今までにも増して威張るようになっている。今日も私に、早く家に帰ってきて夕食のために火を起こすようにと言った。

リンゴ箱の棚には食べ物も無く、食事を作ろうにも、材料がなかった。好が全てお金のやりくりをしていたので、私は食料品を買うお金がない。母の骨壺の下にほんの少しばかり私の稼ぎはありはしたが、それを使いたくはなかった。それは私の靴を買うためのものだ。学校からまっすぐに帰るなんて嫌だ。私はもっと小物を売り、稼ぐのだ。好へ当てつけるように、私はそう考えた。級友のいじめには慣れてきたが、今朝の好の出かけるときの様子や、私が口答えしてしまったことを思い出すと、一日中淋しかった。特にあるクラスメートが、「いつまでぼろを着て学校に来るつもりなの？」と問いかけたときだった。私は父と母が無性に恋しくなり、父が無事に帰って来て、大きな腕で私を抱きしめて欲しい、と願わずにはいられなかった。

小使室で紙を集めながら、私は鼻をすすり涙をぬぐい、いつになったら父や淑世と普通の生活が送れるのだろうか、と思った。どれだけ両親や兄弟姉妹と暮らしているクラスメートを羨んだことだろう。彼女たちが温かいテーブルを囲んで幸せそうに笑っているのが、手に取るように分かった。内藤さんが入って来ると、私の集めた空き缶を大きい箱に空けた。そして、札入れを取り出すと、缶をたくさん集めたね、これからも続けなさい、と言いながら私に五円をくれた。このように、内藤さんはいつでも集めた缶を受け取ってくれた。

それから、彼は私の涙のあとに気づいたのか、それ程どもらないで言った。

「なぜ泣いているの？」

「父や兄のことを考えていました」私はゆっくりと言った。

「二人とも死んでいないといいんだけれど」また鼻をすすった。

「きっと帰ってくるよ。私には分かる、きっと帰ってくるさ」

内藤さんは言い、そして良いお年を、と言った。

今日は大晦日だから、たくさんの人が神社や街の中心へ繰り出して行くだろう。私は一軒一軒回る代わりに、通りに並んでいる屋台の間に立つことにした。きっと仕事帰りの人が立ち寄って、私が並べた小物を買ってくれるに違いない。

私は北野神社を選んだ。屋台に人気があって通勤時間はにぎわっていたからだ。たくさんの人が屋台で買い物をしていた。商品を並べるのに都合のいい場所を探していた私の目に、不意に好の姿が飛び込んできた。好は、冷たい地面に座って男の人の靴を磨いていた。一瞬、体が硬直した。私はやっと分かった。好はこうして私を養ってくれていたことを。そして今も、好はおせち料理や、柔らかい餅を買って新年を迎えるために頑張っているのだ。

ああ、お姉様！

私は胸がいっぱいになって、涙がこらえられなかった。

男性の靴を磨き終え、客から受け取ったお金を、好は大事そうにポケットにしまった。その客は靴を新しい硬貨のように光らせて私の前を通り過ぎて行った。好は戦闘帽をかぶり、毛布で体を覆い、

「靴磨き！　靴磨きはいかが！」

と叫んでいた。

私はすぐに向きを変えて家へと急いだ。好の澄み切った呼び声がずっと、私のよく聞こえる方の耳に響いていた。私は靴用に貯めたお金と内藤さんから貰った五円で、大晦日を二人で祝おうと美味しいものを買った。

お米二合にいわし一尾とワカメ、小さいミカン一個、緑茶の小袋、そして安物の小さな急須を

買った。大晦日のお祝いとして好に緑茶を入れてあげたかったからだ。

雑貨屋から帰って来ると、雪が降り始めていた。

まず火を起こさなければならない。私は買った物をリュックサックに入れたまま階段のそばに置き、それから火を起こした。好が石で作った小さな竈《かまど》は倉庫の裏の軒下にあった。まず、新聞紙をくしゃくしゃにし、好が昨晩から集めて乾かしておいた木切れを焼べた。火がついたので、私は大きめの木片を入れ、好がいつもしているようにダンボール紙で扇いだ。しかし、火は煙るばかりで消えてしまった。もう一度、もっとたくさんの新聞紙や木切れを入れた。何とか火がついたので、先程の木片も入れ、それが燃え始めるまで扇ぎ続けた。

それから、竈に飯盒をのせた。私が学校に行く前、飯盒を水で一杯に満たしておいたが、すっかり凍っていた。それを溶かしている間に、私は屋外にある蛇口へ水を汲みに行った。しかし、それもやはり凍り付いていた。仕方がないので、急いで小川まで行き、靴のかかとで氷を割り、米を研ぐためにそのかけらをバケツに入れた。

飯盒のお湯が沸騰した頃、好が雪にまみれて帰ってきた。

「とても寒くて、風も強いわ」

そう言いながら、好は毛布と戦闘帽の雪を払い落とした。

「お姉様、お帰りなさい」私は言った。

「お湯を用意しておいたわ」

「擁子ならお湯を沸かせると思っていたわ」

好が笑顔で言った。

「夕食を作るのにもう一つ竃がいると思うわ」私は言った。

「どうして？」

「ご飯と魚を焼くためよ」

「誰が魚を焼くと言ったの？」

好が聞いた。

「私よ。魚を買ってきたの」

「何処でお金を手に入れたの？」

「内藤さんが空き缶のお金を払ってくれたし、靴のお金も使ったの」

「まあ、ばかねぇ！」

好は叫んだ。しかし怒っているようには聞こえなかった。

「私もお金は持っているのよ、見て！」

好は何円かをポケットの中から取り出した。私の心の中に、好が靴を磨く姿、声をあげてお客を呼んでいる姿が浮かんできた。

「今日は大晦日。明日、私は十二歳になるのよ！　お姉様は十七よ！」

私は言った。

「お祝いしなくっちゃ」

当時は、皆生まれた日ではなくて、新年に歳を一つ取った。

好は米を研ぐために氷の入ったバケツを火に掛け、お椀でお湯を飲み体を温めた。好がそうしている間に私は買ってきたお茶と急須をなんとかリュックから取り出し、好に見つからないようにコートのポケットに隠した。

私たちには確かにもう一つ竈が必要だった。私たちは凍て付いた地面の石を集め、にわか作りの竈をこしらえた。新しい竈は好が火を起こし、それから米を研いだ。そして、私にその研ぎ汁で魚を洗い、頭と内臓はそのまま残すように言った。好は手頃な棒を見つけて、焼き串を作るために先を尖らせ、細く削った。ご飯を炊き、ワカメの味噌汁を作っている好の脇で、私はしゃがんで串に差した魚を焼いた。

私たちが食べたのは質素な大晦日の食事であったが、二人とも感動した。私たちは父と淑世がその晩、何を食べ、どうやって寒さをしのいでいるのか心配だった。好は骨壺の前のミカンに目をやって、こんなに高い果物を買ってきてしまって、と私に言った。

「新年なのに、お母様のために花を買ってきてあげられなかった」

私は言った。

「ミカンならそのうちに食べられるわ」

「さあ、外へ行って飯盒を取ってきて」

好が言った。

「お湯を一緒に飲もうと思って沸かしておいたから」

私は階段を降りていき、お茶を入れたときの好の驚きと喜びの顔を想像して、心を躍らせながら急須をすすいだ。

戻っていくと、お椀と箸が脇に寄せてあり、リンゴ箱の真ん中にやわらかな紅白のお餅が置いてあった。

「明けましておめでとう、小っちゃいの」少しおじぎをしながら好が言った。

「このお餅は擁子に」

「明けましておめでとうございます、お姉様」

私は好の努力と私への気遣い全てに感謝して、深くおじぎをした。私はお椀を元に戻し、片方のポケットからまだ濡れていた急須を取り出し、もう片方のポケットからお茶の小袋を取り出した。

「このお茶はお姉様によ」そう言って好のお椀に注いだ。

突然、好が泣き出した。

「もうこれ以上、靴のお金を使ったら承知しないから」

鼻をすすりながら、好は強い調子で言った。

「お茶がなくたって生きていけるわ」

好はお椀に入ったお茶をうやうやしく両手で持ち、ゆっくりと味わった。しかし、頬を伝う涙をぬぐおうとはしなかった。

「ああ、美味しいお茶。夢にも思わなかったわ、ありがとう。小っちゃいの」

第十章　擁子の章（六）

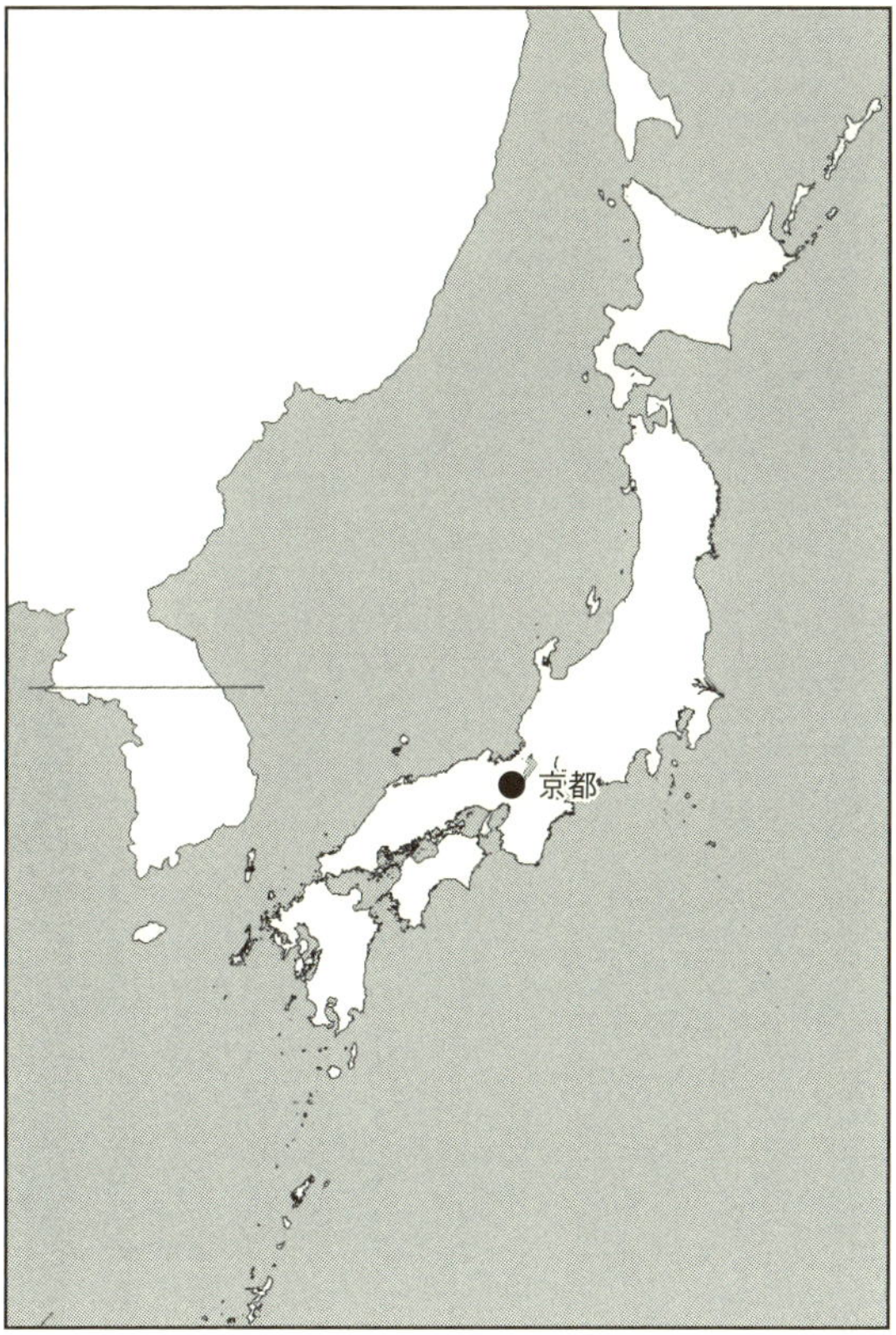

新年早々現実に直面。そんなとき、私は生活を一変させるきっかけに出会う——

正月休みの十日間に、好は、ほどいた軍服でオーバーコートを仕立て直してくれた。裏地はつぎはぎだらけだったが、私には今までの服の中で一番豪華なものに感じられ、とても嬉しかった。外出着が出来たので、早速、赤いオーバーコートを普段着におろした。たとえ大雪が降っても、土曜日には、私たちは舞鶴へ行き、淑世の尋ね人の紙を取り替えたり、作った小物を売ったりして、一日を過ごした。雪が開いた靴先から入り込み、爪先の感覚がなくなった。

新学期が始まった学校で、月謝が月十五円上がることを知った。母は四月までの月謝を全部払っていたが、私は学校に四十五円の借りが出来た。そんな大金をどうやったら工面できるかしら？地面は雪に覆われていて空き缶は一個も見当たらなかった。一生懸命に好が小物を作るのを手伝って、それらを売れば、月十五円を稼ぐことが出来るだろうか……。

好に月謝の値上がりについて話すと、それは本当に必要なものだから、今こそ母が貯めていた風呂敷のお金を使うときだと言った。好は百円を包みから取り出し銀行で小さな紙幣に崩し、私が必要な分を渡してくれた。私は、好の学校が月謝を値上げしなかったか聞いた。

「四月には上がると思うわ」そう答えた好は、私が学校を出るまで学校を休んでどこかで働くつもりだ、と言った。「だから四月まで、学校生活の残り時間の全てを楽しむつもりよ」と付け加えた。

「お姉様のクラスメートは少しも意地悪しないの？」

思い切って私は聞いてみた。

「初めはしたわ」

好があっさりと言った。

「でも私が、白い絹の着物の裏地を色糸で縫い目の見えないように仕上げたのが分かると、とても驚いて、それからはいじめなくなったの」

私は不思議に思って好に尋ねた。

「どうして白い絹に色の着いた糸を使ったの？」

「誰かが、試験の始まる直前に私の白い糸を隠してしまったのよ」と話した。好は、靴磨きをしているにもかかわらず、いつも柔らかい手をしていた。

私が好の作った物を一生懸命売ろうとしたが、一月はあまりうまくいかなかった。私の左の靴は怒った野獣のように口が開いたままで、細引きで結んでも歩く度に解けた。私が足指の感覚がなくなるほど冷たいと泣き言を言えば、好が靴を買ってくれるのは分かっていたが、私は風呂敷にあるわずかなお金を残しておきたかった。

好はいつも、靴磨きで稼いだお金でどんな食糧を買うか、そのお金でどれくらいやりくりできるか計算していた。私は、好を神社で見かけたことを決して話さなかった。

「お母様のお金をこの冬の食費にいくらか使わなければならないかもしれないわ」

ある日、好は言った。

「本当は手をつけたくないけれど」

私はホテルの裏にあるごみ箱の中を覗くことを提案した。

「もうこれ以上そんなことはさせたくないわ」

好は私に言った。

「私たちは運がいいのよ。住むところもあるのよ。しかもただで。それに料理する場所だってあるもの」

私は心の奥では、どうしたら春まで暮らしていけるか心配していた。みんな冬はゴム長靴を履いているから、きっと好のお客は少ない。

私にできることは下校後、長い時間をかけて、好の作った小物を路上か、一軒一軒回って売ることだと考えた。

ある朝、私は学校まで、線路に沿って一番近い道を歩いて行くことにした。途中には五つの駅があり、どの駅にもベンチがあった。私は同級生がいなくてほっとした。六つ目の駅で、一月の風に舞っている新聞紙を何枚か拾った。

新聞紙は、食べるものが無くなっても好や私の手を温める燃料となるのだ。近頃、私は生活の中で利用できるものを探すのが楽しくなってきていた。駅のベンチで新聞紙を平らに伸ばしている私の目に、『作文募集』という見出しが飛び込んできた。ベンチに座り記事を読み、いつの新聞か調べた。それは、その日の新聞で朝刊だった！

私は益々その記事に興味を抱き、読みながら学校へ行った。

投稿枠
　第一部門　大学生
　第二部門　男子・女子学生
　第三部門　小学生
題名　自由
原稿枚数　原稿用紙五十枚以内
賞金
　一位　一万円
　二位　五千円
　三位　一千円
締め切り日　二月末日

市電が来る振動を感じたので私は脇に寄ったが、それでも読み続けた。

頭の中は賞金で一杯だった。もし、少なくとも三位に入賞すれば、一週間分の食糧を買える。

市電は、車輪と線路の間で火花を散らしながら、轟音と共に過ぎて行った。女の子が、壊れた窓から、

「ぼろ人形！」

と叫んだ。私は怒りが込み上げてきて、その子が誰であろうと平手打ちをしたいと思いながら唇をかんだ。私はその女の子を蹴っ飛ばしているつもりで、枕木を踏みつけていた。

学校の帰りも線路を歩いたが、その時はもう枕木を踏みつけるようなことはせず、賞金を得るために何を書こうか考えていた。お金！　食べ物、温かい食べ物を私たちのお腹の中に……。来る日も来る日も私は線路を歩き、文を考えていた。投稿枚数は五十枚、原稿用紙一枚には四百のマスがある。だから、私は二万個のマス目を文字で一杯にしなければならない。私には原稿用紙を買うお金がなかったので、ごみ箱から拾った紙の裏に四百マスを薄く書いて原稿用紙を作り、注意深くマス目を満たしていった。

その月の月末、私は、学校に行かないで三条通を歩きながら、新聞社を探した。原稿を送るお金が無かったので、原稿を本社の入り口にあった大きな箱に投函した。

投稿記事の載っていた新聞には、二週間で入賞者の発表が載ると書いてあったので、発表の日、学校の図書館へ行った。私は賞を貰えるかしら？　しかし、図書室の先生は、校長先生が朝刊を読んでいる、と言ったのでがっかりした。新聞を見せてもらうためだけに校長室に行くことはできなかったので、次の日まで待たなくてはならなかった。

次の日の朝、学校まで歩きながら、私はとても神経質になっていた。どうしても賞を取りたかった。

教室は、普段にも増してうるさかった。ところが、私が席に着くやいなや、突然みんなが静かになった。クラス全員が私を見ていた。いつもと異なるみんなの行動の理由が理解できなかったが、構わず、私は英語の教科書を取り出した。英語は私の一番好きな教科で、吉田先生はいつも私を指名して一つの章を全部読むように言った。私は、今日も先生が読むように言ったら、失敗したくないと思った。

一人のクラスメートが来て、私の教科書の上に新聞を投げつけた。何と言う不作法だと思った。私は一度ちらっと新聞に目をやると、改めてその見出しに目を留めた。それから、新聞を手に取った。

〝第二部門、第一位女学生受賞〟という見出しが付いていた。作文の題名『理解すること』と共に私の名前が大きくはっきりと載っていた。

私はその場でやった！　と叫びたいのを、拳を握りしめて我慢し、心の中で歓喜の声を上げていた。好がどんなに喜ぶか、そして、これで米や味噌、豆腐を買い、八百屋にも行けることを考えると、涙が止まらなかった。

お祝いをしなくては！

公募作品で賞を取ったのは今回で二度目である。一度目はまだ羅南にいたときで、小学一年生のときに書いた『カナリア』が、新聞に載ったのだ。

私は改めて自分の書いた作文を読み始めた。作文の中で、女学校の生徒たちのお嬢様気取りを批判していたので、賞を取ってもクラスメートの態度には少しも変わりはなかった。入賞から日が経つにつれていじめや皮肉はなくなったが、彼女らはとても冷淡で、クラスメートらが私の作文を快く思っていないことは、はっきりと感じられた。さらに、明らかに学校側も喜んではいなかった。なぜなら、先生方も一切私の受賞について触れなかったからだ。

新聞社が入賞者のための祝賀会を開いてくれるというので、好は自分の制服の裾を私のために上げてくれた。祝賀会には保護者が同伴しなければならず、保護者は両親か男性の兄弟でなくてはならなかった。私には適当な人物が一人もいなかったが、どうしても祝賀会に出席したかった。私は、内藤さんを思い出し連絡を取った。内藤さんはとても喜んでくれ、もちろん一緒に行くと言ってくれた。

祝賀会当日、もし内藤さんのことを聞かれたら叔父だと言うつもりだったが、誰も尋ねなかったので安堵した。その日、彼はほとんどどもらなかった。祝賀会は素晴らしく、もう何ヶ月もの間食べたこともないような様々な美味しい食事が振る舞われた。私は好のため、持ってきた新聞にごちそうの半分を包んで持ち帰った。

一等賞の一万円は、好が「靴だけでも買ったら」と言ってくれたが、使わずに取っておく事にした。その賞金があれば、何週間も生活できる。風呂敷のお金も、もう使わなくても良くなるだろう。あれは母が私たちの、万が一のために、遺してくれたものであったからだ。

一週間ほどして、私は校長室に呼ばれた。私は遅かれ早かれ作文のことで呼ばれるだろうと思っていた。もしかすると、停学になるのではないかと心配であった。しかし、賞金を手に入れた今、私たちにとっては死活問題であったのだからと、停学も辞さない覚悟であった。

「川嶋さん、座りなさい」と校長先生が言った。私は言われた通りにした。

「松村さんという名前の男性を知っていますか？」

私は少しの間考えた。

「羅南の松村伍長さんなら知っています」

校長先生は四角の白い封筒を私に見せた。

「この手紙は川嶋さん宛に来たのです。学校に届き、私は校長だからそれを開封しました」

伍長から手紙など届くはずはなかった。彼は私の過去の思い出に存在していただけだった。それに伍長が私の居所など知る由もない。私の心臓が高鳴り始めた。

それから不意に私は、父が私たちに人の手紙を開けることを禁じていたのを思い出した。まず初めに言うべきことは言わなければと決心し、

「校長先生！　人の手紙を勝手に開封すべきではないと思います」と言った。

「校長だから責任がある。君はまだ子供だ」

頑固な私は、執ように校長に迫った。

「校長先生は初めに私に渡すべきだったのではないでしょうか？　私が読んだ後できっと手紙をお見せしたと思います」

校長先生は返事をせずに私に封筒を渡してくれた。

手紙には返信用の葉書が同封されていて、便箋には京都市内にあるホテルの名前が入っていた。

私はそのまま校長室で読み始めた。

川嶋擁子様
自分は今、昔、知っていた女の子に手紙を書いているのかどうか分かりませんが、新聞であなたの作文を読んだ後、あなたの名前の擁子という漢字を思い出しました。私が知っている唯一の「擁子」は、朝鮮北部の羅南に住み、私の入院中に会いに来てくれた、小さな女の子でした。もし、あなたが同一人物なら、どうか返事を下さい。葉書を同封しておきます。
松村

松村伍長の手紙を半分も読まぬうちに、涙が止めどもなく流れ始めた。涙は頬からあごへと伝い、手紙の上にも落ちた。

ああ！　松村伍長。

松村伍長はあの悲惨な戦争を生き抜いたのだ。激しい爆撃や砲撃にさらされたに違いない。私は、校長先生の視線に気づいて顔を上げ、すすり泣きながら、途切れ途切れに、

「校長先生、松村伍長さんは私たち家族の友人です」

と言った。

「それなら、手紙は君の物だ」

私は、松村伍長からの手紙をしっかりと握りしめた。

その日、学校が終わるのを待ちきれなかった。枕木沿いを走り、スキップをして家まで帰ると、興奮しながら好に手紙を見せた。好は信じられない、といった様子で何度も何度も読み返し、私同様に伍長が生きていたので嬉し涙を流した。

「松村伍長さんは京都で何をしているのかしら？」

好は不思議に思った。

私は、自分が松村伍長の捜している「擁子」であることを告げ、さらに、生活はひもじいけれど、一生懸命に勉強をしていること、そして母が京都駅で十一月に亡くなったことを書いた。私たちは父や淑世から離れて二人きりで、孤児同様だとも書いた。私は、幸せだった日々を思い出して、小さな葉書いっぱいに細かな字で綴った。いつの日か再び幸運が私の人生に来ると信じているとも付け加えた。

雑貨屋の隣にある小さな郵便局に歩いて行き、松村伍長がこの市を出る前に受け取ってくれるように願いながら、早々に葉書を出した。どんなに伍長に会いたかったことか、どんなに私はホテルに行きたかったことか。しかし、女の子が男性を訪ねるなど、当時の私たちの習慣では厳しく禁じられていた。まして、ホテルへ行くことなどは許されるものではなかった。好と私にはきちんとした保護者が居なかったので、それは更にまずかった。学校でさえ、しっかりとした保護者がいない生徒は受け入れてくれなかったので、私は母が三ヶ月半前に死んだことを校長先生に話していなかった。

朝食の味噌汁を飲みながら、私は好に、好が結婚していたらいいのに、と言った。そうすれば、好の夫は私の保護者になってくれるだろうし、私を伍長のところへ連れていってくれるだろう。

「松村伍長さんがご無事だと分かっただけでもありがたいことよ。そのうち会えるわよ」

好は私に言い聞かせた。

私は葉書だけでなくホテルに電話をかけようかと考えたが、そのような無作法は気が進まなかった。

世の中はどうしてこんなに厄介なことばかりなんだろう！

「うんざりするようなことばかり」私は文句を言った。

「ずっと嫌なことばかり起きるわ！」

「嫌なことはいろいろあるけれど、私たちが生きている限り、もうあんな戦争が起こらないよう願いましょうよ」

好が言った。

その夜、強い北風が倉庫を揺らし、隙間風が至るところから入って来て、とても寒かった。好は予備の布団を使って、敷布団を二枚重ねにした。さらに掛けられる物は全て掛けて、私たちはお互いの体を摺り寄せて温め合った。

私が葉書を送った二日後、最後の生物の時間に、実験室で蚕の観察をしていると、内藤さんが入ってきて生物の岩井先生に話しかけた。

「川嶋さん」

と先生が呼び、

「校長室に行きなさい」

と言った。

今度はどんな用があるのだろう？　悪い事をしているといえば、母が死んだことを校長先生に話していないことだけだった。授業料がなくなったときに、もう学校に来られないと言うつもりだった。それとも私の見てくれが悪いので、学校にきて欲しくないのだろうか？　それとも今頃になってあの作文のことを問いただすつもりだろうか。

私が校長室のドアの前に立ったとき、心臓は高鳴った。私はようやく五センチほどに延びた髪を指でとかし、静かにドアを開け、校長先生に礼をした。

「川嶋が来ました」

と校長先生が言った。

紺色の縦縞のスーツを着た男の人が、振り向いた。

「あっ！」

私は叫んだ。傷痕のあるあの顔……、そして、懐かしい笑顔！

「ああ、松村伍長さん……」

私は彼の方へ走って行き、伍長の腕の中に飛び込むと、すすり泣いた。彼の腕の中では、何の心配もいらないように感じた。伍長は片腕で私を抱き、私のハリネズミのような頭をなでながら、涙を私の頭の上に落とした。

「小っちゃいの、小っちゃいの！　京都を出る前に、会いたかった。お姉さんは何時に家に帰って来る？」

「六時頃です」

私はまだ泣いていた。

「家まで連れて行ってくれないかい。話すことがたくさんあるから」

私は実験室に戻り、早退するため持ち物をまとめると、急いで校長室に戻った。校長先生と松村伍長は低い声で話をしていて、私は話の済むまで座って待っていた。そして、ふと、母と私が初めて学校に来たとき、私はこの椅子に座っていたことを思い出した。

私は伍長と一緒に市電に乗って一緒に帰ったが、その間、幸せな気持ちでいっぱいだった。私は二階へと案内した。大切なお客様を迎える座布団がなかったので、私の毛布を四重に折って、どうぞお座り下さい、と言った。

伍長は母の骨壺と対面した。目を閉じ、深々と頭を下げた。しばらくして私は、姉が帰ってきた物音を聞きつけた。急いで下へ降り、早く私たちの大切なお客様に会わせようと、好の手を取り二階へと連れてきた。

好は伍長に会うと、懸命に涙をこらえたが、ハンカチを取り出して、

「いらっしゃいませ」と挨拶するのがやっとであった。

伍長は仕事で京都に来ていた。粗末な夕食を一緒にとりながら、私たちの身の上話が終わると、伍長は私たちが逃げた翌日、羅南を出たと話してくれた。

「私は日本の新潟陸軍病院に配属されましたが、日本海を渡るとき、乗っていた船が、アメリカの爆撃機の攻撃を受けたのです。日本の漁船に助けられるまで、四日間、丸太につかまり漂流していました。原子爆弾が落とされ、戦争が終わり、ようやく、故郷の城下町であった盛岡に帰って、家業を継いだのです」

伍長の家は、代々、南部藩御用達の反物を扱う絹織物業を営んでいた。

「ああ、だから病院にいたとき、触っただけで私の着物が分かったのですね」

私の声は知らず知らずのうちに弾んでいた。

「その通り。触っただけで大方の見当はつくよ」

と伍長が言った。

伍長が帰国すると見合いが段取られ、すぐに結婚した。そして、もうすぐ赤ちゃんが産まれるそうだ。伍長は私をじっと見て、やさしい声で、

「もし女の子だったら、擁子と付けよう」

と言った。そして、思い出したように、「私は、君が書いてくれた〝武運長久〟という習字を軍服のポケットの中にいつも持っていた。水に浸ってしまったが、今では額に入れて私の事務所に掛けてある。それが私に幸運を導いてくれたんだよ」と言った。

伍長は私に靴を買ってくれようとしたが、店は既に閉まっていた。伍長は、私たちの生活援助

を申し出てくれたが、私たちは差し当たりお金はあるからと断った。そして、私たちに住所を教えて、私たちが何か——どんな物でも必要となったときには、先方払いで電報を打つことを約束させた。帰ったらすぐ手紙を出すよ、と伍長は言った。

伍長の乗る夜行列車を見送るため、好と私は駅へ行った。母はこの駅で私を遺して逝き、今、伍長も私を置いて行こうとしていた。突然の寂しさが私を襲い、また、震えながら泣き出してしまった。

「これを」と言って、伍長は腕時計を外した。

「君たちに時計がないことに気づいたんだ。これをとっておいて、お兄さんに歓迎の印として渡してくれ。もう泣かないいんだぞ！ 小っちゃいの、頑張るんだよ！」

駅のベルが鳴り、汽車の出発を告げた。伍長は飛び乗ると、席に座り、窓越しに私たちに手を振った。好と私は伍長の心遣いに感謝し、深く頭を下げた。私は、腕時計をしっかりと握りしめた。

汽車が動き出すと、伍長は再び私たちに手を振った。私がその時計を聞こえる方の耳に当てると、それはカチカチと音を立てていた。温かかった。

伍長の唇が、「連絡し合おうな」と伝えていた。汽車は速度を増していった。

私たち二人は、赤い尾灯が見えなくなるまで見送っていた。

第十一章　淑世の章（三）

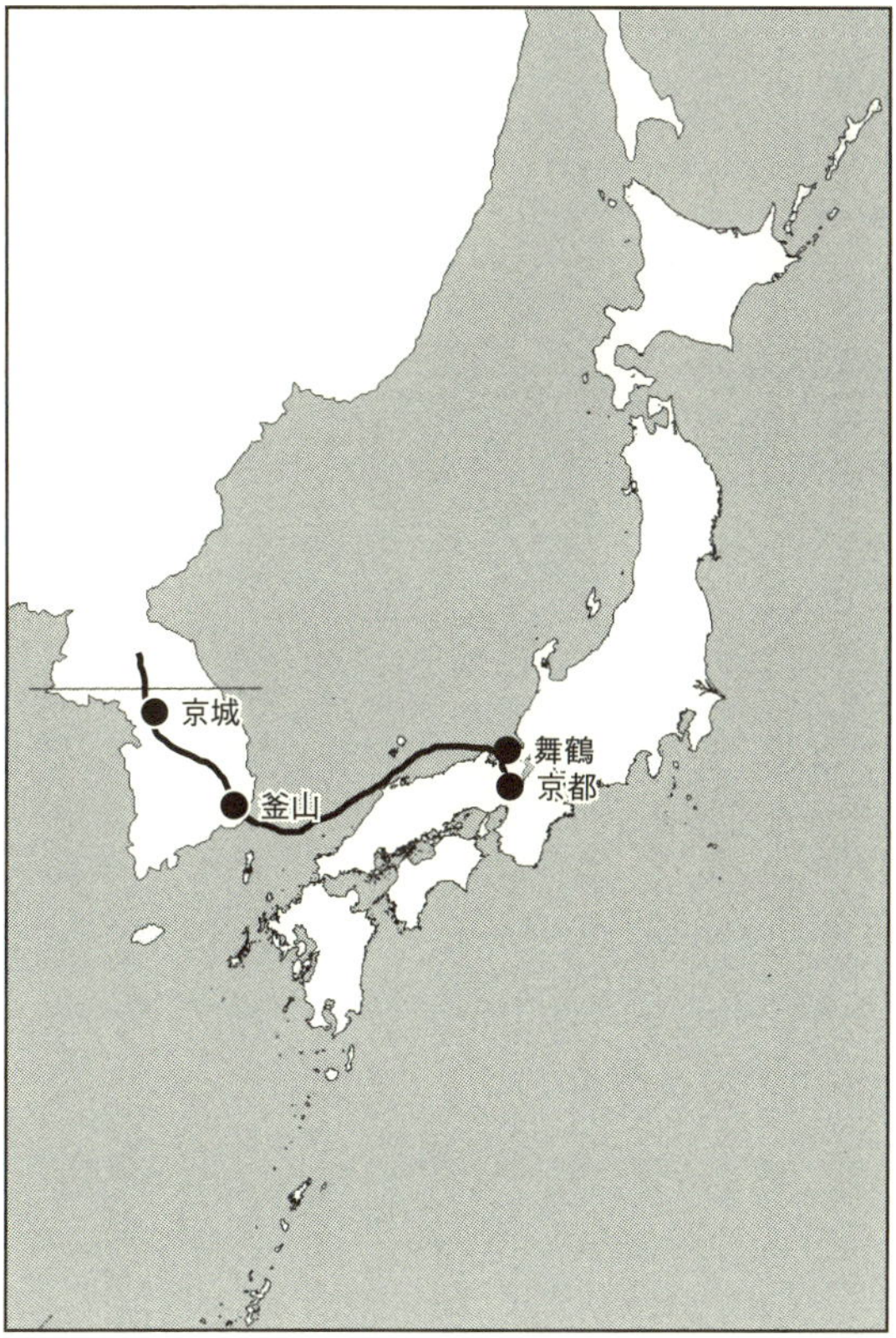

吹雪の中で力尽きた兄・淑世。彼が求めた明かりの正体は――

三十八度線近くの小さな農家に、金夫婦と十六歳の長男の喜朝《ヒーチョウ》と、十四歳の次男喜王《ヒーワング》が住んでいた。勝手口の外で大きなドシンという音がしたとき、彼らは夕食をとっていた。

「たぶん風だよ」と、炊き立てのご飯とキムチを食べていた金さんは言った。

「雪が猛吹雪に変わったんだ」

「喜朝、見てきて」奥さんが頼んだ。

薄い木の戸はいつもなら爪先でさーっと開けられるのだが、このときはなぜか動かなかった。戸は溝から外れていたので、喜朝は直そうとした。

「何かが戸に当たってるよ」と言った。

「多分、またイノシシだよ」

金さんは立ち上がり土間の台所に行き、大きな斧を手に取ってきた。喜王は縄を、奥さんは提灯を持ってきた。金さんは戸を直している間、長男に斧を持たせていた。

金さんはすぐに戸を元に戻すことができなかった。金さんはイノシシは戸にもたれているのではなく、小屋の周りをうろついているのだろうと考えた。やっとのことで金さんは戸を持ち上げると、溝から完全に外した。その途端、風と雪が吹き込んできて、見ると戸の前に人が倒れていた。それは意識を失っていた淑世だった。

金さんは淑世の服をさわった。

「凍っている」

彼らは淑世を中へ運ぶと、風がうなり、雪が吹き込んでくる中、ようやく戸を溝へ戻した。

少年たちは物置からわらとむしろを持ってきて、土間に寝床を作った。金さんは淑世のリュックを下ろし、奥さんは破れた薄い朝鮮服を引き裂いた。日本の学生服が現れた。

「父さん、日本人なの?」と喜王が尋ねた。

「リュックの背負い方や、制服のボタンに桜の花の紋章があるから日本人だ」と金さんは言った。

皆でゲートル、靴、湿った靴下を脱がした。淑世は半分凍った靴下を四足も履き、ありったけのシャツを着ていた。奥さんは体を拭き、心臓マッサージをした。

「これを見て」喜王が叫んだ。

「腹巻きに帳面が入っているよ」

その帳面は日本の貯金通帳だった。

「なんて名前なんだ?」金さんが尋ねた。息子たちは二人とも、『川嶋』という漢字を読むことができた。彼らは共産軍が家を調べにくるといけないので貯金通帳とリュックサックの中身を隠した。

奥さんは粘土でできた竈へ薪をくべた。竈はご飯を炊いたり、お湯を沸かしたりするばかりでなく、その煙で床を暖めるオンドルの役目も果たしていた。息子たちが淑世の足や体をマッサージしている間、奥さんは砕いた乾燥唐辛子を乾いた靴下の中に入れて淑世に履かせ、小さな毛皮のコートで足を包んだ。さらに唐辛子の粉を何度も淑世の胸に散らしてマッサージを続けた。

彼らは淑世に寝巻きを着せ、毛布を掛けたくさんのわらで体を包み込んだ。

「これで私たちが食事をしている間は、持ちこたえるだろう」と金さんが言った。

再び食事に戻ると、金さんは決断を下した。

「万が一、その子が死んだり、誰かに私たちが日本人の男の子を救助していたことを知られたら、私たちは賞金のために密告され、処刑される。いいか、みんな、その子は私の甥ということにしよう。両親は日本人に殺され、私たちと一緒に住むようになったのだ。分かったか。これなら安全だからな」

皆は急いで夕食を終えると、奥さんはニンニクを粉々にして、お湯を入れ、金さんが無理やり開けて淑世の口の中に入れようとした。喉がゴクッと鳴った――飲み込んだ。足は少し暖かくなっていたが手は氷のように冷たかった。手を暖めるため唐辛子の粉を手袋の中に入れた。

息子たちが寝た後もずっと金さん夫婦はやかんでお湯を沸かしてその蒸気で部屋を暖め、淑世の体をマッサージしたり唐辛子の粉が入ったニンニク汁を飲ませたりした。金さんは奥さんに呼ばれたとき、薪をくべていた。

「お父さん、寝返りを打って、うなっているわ」金さんは急いで戻り、淑世の頬をたたいた。

淑世は一命を取り止めたが、疲れ果てていたので動けなかった。「ここはどこなのか?」「この人たちは誰なのか?」「そして自分の持ち物はどこにあるのか?」……全く分からなかった。

奥さんが唇へスプーンを持ってきたとき、毒を盛られているのではないかと、恐ろしくさえ思った。奥さんは大丈夫だと分かってもらうために、唐辛子入りのニンニク汁を自分で飲んで見せた。温かいニンニク汁は淑世の空腹の胃にしみわたった。

淑世は彼らに、自分は誰なのか、どこから来たのかを話し、喜朝は学校から家に帰ってくると「君は私たちのいとこになるんだ」と言った。

もちろん、淑世は京城に行きたかったが、旅ができる状態ではなかった。さらに金さんは南部へ逃げようとしている人はみんな共産軍に殺されていると話した。

「今、君は私たちの親戚だ」金さんは言った。

「健康が回復するまで私たちと一緒にいなさい。自分の家だと思って楽にすればいい」

起きられるようになるとすぐ、淑世は火を起こし、水を温めるために早起きし、家族を手伝ってわらを編んだり、物置を修理したりした。

また、金さんと一緒に編んだむしろを売りに町へ行った。夕食後、天秤棒で桶を担いで水を汲みに行き、台所の水瓶に水をためる作業も淑世がやるようになったので、奥さんは凍った小道を歩かなくて済むようになった。

さらに、喜王に算数を教え、喜朝と朝鮮語で政治の話をして、政治用語を学んだ。

春になった。淑世はリンゴの木を保護していたわらを取り外す作業を手伝った。辺りがリンゴの花の香りで一杯になり蜂が花から花へと舞い始めると、淑世はリンゴの産地である故郷青森に思いを馳せると、そこで生まれた両親への思いもよみがえってきた。

両親や妹たちへの懐かしさが募ったある晩、淑世は夕食を食べると金さん一家に、帰るときがきた、と話した。

「ここにいなさい。私たちの息子になるんだ」金さんが言った。

「いてよ。お願い」喜朝と喜王は頼んだ。

奥さんは涙を流した。

しかし、行かなければならない、と淑世は言った。春の仕事が終わり次第、見つからないように月が出ていない夜に。

何から何まですっかりお世話になった朝鮮の家族との最後の夕食が終わると、淑世は少ない荷物をまとめた。学生服、下着、ズボン、そして靴下は奥さんが洗って畳んで置いてくれた。淑世は毛皮のコートをリュックサックの底に、それから家族のアルバムと貯金通帳、そして服を詰めた。

奥さんは大きなおにぎりを竹の弁当箱に詰めて、金さんは淑世にお金を少し渡した。淑世は金さんが収入のほとんどを政府に渡さなければいけない貧しい農夫と知っていたので、そのお金を断ろうとしたが、金さんは、朝鮮のお金を少しは持って行け、と強引に渡した。

淑世は奥さんに感謝の気持ちをいろいろと伝えたかったが、涙が出てきて胸が締め付けられるだけだった。彼女は淑世の手を取って泣き、「アイゴ」と悲しみの意味の言葉を口にした。淑世は金さんと握手をした。その手は何年もの農作業で荒れてはいたが柔らかく、優しく感じた。金さんは涙を浮かべ荒れた唇をかみ、しわが刻まれた顔で「何も言うな。分かっているから」と言っているかのようにうなずいた。

それから淑世が日本人だと分からないように、奥さんはリュックサックを麻の袋に入れて長いひもで結び、淑世に朝鮮人のように腰に着けて運ぶように言った。

喜朝は淑世と一緒に川までついて行くことになった。イムジン川という朝鮮で四番目に大きい川は三十八度線を横切っていた。アメリカ軍が朝鮮南部を統治していたので、淑世はこの境界線を渡ってしまえばもう安全なことは分かっていた。

その川は金さんの家から六キロのところにあった。二人が家を出たとき、太陽が沈むところだった。淑世は何度も振り返り、金さん夫婦と喜王に手を振った。彼らが深い森で、姿が見えなくなってしまう直前に淑世は最後の別れに手ぬぐいを三回振った。金さん夫婦も手を振ってくれた。

川は共産軍の厳重な監視下に置かれていた。近くの見張台から探照灯が水面に強い光を当てて辺りを隅無く照らしていた。

淑世は麻袋をほどいて、服を全部脱ぎ靴も脱いだ。全部袋の中に押し込んで、袋を頭の上に載せ、顎で紐を結んでしっかりと固定した。こうしておけばもし頭から落ちても、流されてしまうことはないだろう。

暗くて広い川に目を向け、泳いで渡れるかどうかと考えた。もし見つかって殺されたら、この流れる水は血で真っ赤になるだろう、という思いが淑世の脳裏をかすめた。

二人はお互いに見つめ合い、握手をした。

喜朝は「気をつけて行けよ」と朝鮮語でささやいた。

「ありがとう」と淑世も朝鮮語でささやき返した。

「捕まらないようにな」

「君の親切は一生忘れないよ」

「今だ。行け」

探照灯が二人の頭上を通り過ぎたとき、淑世は川の中に滑り込んだ。水は予想していたよりもはるかに冷たく、流れも非常に速かった。淑世は泳いだ。光が向かって来るたびに、水に半分隠れた袋だけが見え、どうか木材が浮いているように見えることを願いながら潜っていった。何度も何度も潜らなければいけなかった。

突然、銃声が一面に響き渡った。淑世は自分が狙われているのか、他の引揚者、もしくは野生の動物が狙われているのか分からなかった。探照灯が再び頭上を過ぎたとき、さらに深く潜った。そんなに遠くないところに岸が見えたが、川の流れと何度も潜って体力を消耗したせいで、なかなかたどり着けなかった。

再び銃声が聞こえた。弾が淑世の頭上の麻袋に当たり、水面に落ちた。辺り一面に弾が飛んできている音を聞いた。さらに深く潜り、流れに身を任せた。それから再び泳いだ。やっとのことで南側へ着いたとき、探照灯が彼のほうを照らしたので、死んだように横たわり、それが通り過ぎると茂みに向かって這っていった。淑世は疲れ切っていた。

すでに淑世は危険な三十八度線を越えていた。『自由』の空気を深く吸った。金さん一家に出会えたことを神に感謝し、自分が南側にたどり着いたことが、夢でもいいから彼らに伝わるように願った。

岸に上がると朝鮮服に着替えた。毛皮のコート、毛布、家族のアルバムの上で守られていたので、湿っていただけで済んだのだ。川の流れでどれほど遠くまで流されたのか方角の見当がつかなかったが、まずは、濡れた毛布を広げて寝ることにした。

目が覚めると、すでに空は明るくなっていた。淑世は大好きなキムチの入ったおにぎりを一つ食べた。辛いキムチを食べながら、吹雪の中、金さんの家へたどり着いたこと、意識を取り戻すとそこに奥さんがいたことなど次々と思い出した。

死の一歩手前のところで助けられた淑世は、もはや捕まったり撃たれたりすることを恐れることなどなかった。道を探しながら､茂みの中を歩く足取りも軽かった。農家で京城への道を尋ね、そこに向かって第一歩を踏み出した。淑世はまだ腰に麻袋を着け、なぜか日本人の少年のようにリュックサックを背負う気にはならなかった。たぶん奥さんへの愛情の印として朝鮮の習慣に従いたかったのだろう。

淑世はそこからおよそ六十キロ歩いて京城に着くと、駅へまっすぐ向かった。そこは母と二人の妹たちが待っていると書置きに書かれていた場所だ。しかし、淑世は愛する家族の姿を見つけることはできなかった。駅員に尋ねたが、たくさんの日本人女性が子供を連れていたので満足な答えは得られなかった。

それから丸一週間、淑世は駅の角で寝起きし、日中は家族を捜していた。家族が殺されたのではないかと心配になった淑世は、日本人と朝鮮人の引揚者を助けているアメリカ赤十字社へ行った。しかし〝川嶋〟という名前は引揚者名簿に載っていなかった。

たぶん三人共、幸運にも日本へ戻れたかもしれない。淑世は釜山まで汽車に乗り、それから船で日本に行くために引揚者証明書を要請した。

羅南を出発してから八ヶ月ぶりに乗り物に乗った。貨物列車の無蓋貨車は、大勢の引揚者で座る場所はほとんどなかった。それでも歩かなくていいので、とにかく嬉しかった。列車が動き始めたとき、淑世はぼんやりと駅の柱を見つめていた。〝淑世へ、私たちは釜山で待っています〟という二人の妹が刻んだ伝言を知らないまま。

釜山の港から船は定期的に引揚者を乗せ、日本へ運行していた。淑世は舞鶴に到着した。そして新聞紙に妹たちの住所と一緒に自分の名前が書いてあるのを見つけると、大喜びで叫んだ。

「小っちゃいのの字だ！」

好や私には過酷な冬だったが、松村伍長との再会で私たちの生活は精神的に幾分マシになっていた。松村さん夫婦はしばしば、残り布、糸、干し魚、漬け物、米などを小包で送ってくれた。また、客からわざわざ着物の注文を取って、好に作るように頼んだ。伍長の住む盛岡はとても遠かったけれども、小包や手紙が来る度に、彼が身近にいるように感じ、心強かった。手紙には必ず切手が添えられ、私たちの近況と、勉強の進み具合を全部伝えるようにと書いてあった。

ある日、伍長は私の父と淑世の名前が、全国放送の「尋ね人」で流れると知らせてきた。もし家にいるようだったら、週末の午前十時と平日の午後六時に聞くように、と書いてあった。

私たちは、六時にラジオを聞かせてもらえるよう増田さんに頼み、二人は手を握りながらラジオの前に立った。私は、伍長さんが話しかけてくれるような気がして、少しでもよく聞こえるように棚の上のラジオを見上げていた。番組が始まった。拳をさらに固く握りしめ、私たちは父と淑世の名前が読み上げられるのを待った。本当に読み上げられた。

「もし、誰か、川嶋良夫か息子の淑世を見かけるか、もしくは彼らの情報を知っている方がいらっしゃいましたら、盛岡にある絹織物会社の松村さんに連絡してください」

私たちは毎日のように作った贈答用の小物を学校帰りに売り、土曜日ごとに新しい張り紙を持って舞鶴へと出かけた。少し手が空くと、好は私に伍長が送ってくれた残り布でブラウスやスカートの作り方を教えてくれた。生活は少し楽になっていた。私に必要なのは、あとは父と淑世だけだった。

一体、どんな事態が二人の帰国をこんなに遅らせているのだろう。

四月になり、桜は満開となった。小鳥は妙心寺にあるヒマラヤスギの森で愛の歌を歌っている。すぐに巣を作り、家族ができるだろう。

私は、家族のことを考えるたびに、寂しかった。父も淑世も死んでしまったのかしら。もし、二人が死んだと分かれば、それはそれで諦めることもできるが、依然として消息不明のままなので、私はいらいらしていた。

学期が終わり、私は全部甲の成績を取った。私は内藤さんに成績表を見せるため小使室へ急い

れた。

微笑みながら、売った缶代の三円を札入れから取り出し、お祝いとして更に二円私に渡してくれた。

「やったね」

だ。

内藤さんは私の背中をぽんとたたいた。しかし、私は授業料が尽きたため、これ以上学校へは行けないことを知っていた。

「そ、その調子で頑張れ！」

内藤さんは、私にとって、心から信頼できる人であり、また彼にとっても、私以外には話し相手など一人もいなかった。だから、学校を辞めるとはなかなか言い出せなかった。

浅田先生が午後の授業は花見に行くと言うと、みんなは大喜びした。午後の授業がなくなるので、みんな持ち物を全部鞄に詰め込んだ。桜の花を見に行くことの何がそんなに嬉しいのか、と私は心の中で思った。

私は、好の学校で行われる洋服の品評会を観に行くという口実で、花見の参加を断った。私にはそんなことをしている余裕などなかった。もっと大切で、しなければならないことがあったからだ。

生きていくことさえ大変な私の身に、さらに新しい心配事が生じた。——目だ。先生が書いた黒板の字が読めなかった。耳の方も相変わらず、静かな口調の先生方の声を聞くことも一苦労だった。

その日も、一軒一軒商品を売り歩いた。売れる度に好が作ってくれた小さな袋にお金を入れ、それをズボンの内ポケットにしまった。

それから、好へのごちそうを作ろうと、急いで家へ帰った。好は、天気が良い日は路上で靴磨きをして、ラジオに間に合うように、六時ちょっと前に急いで家に帰ってきていた。それから夕食の支度に取りかかった。しかし今夜、私は何か美味しい物が食べたかった。魚はどうだろう。私は空き缶と小物を売ったお金の他に内藤さんに貰ったお祝いを持っていた。

雑貨屋で私は魚を一尾買い、残りの一円でお茶を二袋買った。このお茶で姉と一緒に私の成績を祝うつもりであった。

小川で私は魚の鱗を落とした。薄緑のタンポポの葉が芽を出していたのでおひたしにしようと摘んだ。笹で魚を包み、そこに置いて、バケツと果物ナイフを持ってもどった。

近頃、私は、小石で組んだ竈で火を上手に起こせるようになってきた。バケツの水を沸かして、タンポポの葉を湯がくとほんの少しになってしまったので、それを取り出し、またタンポポを摘みにバケツを持って行った。

竈のところまで戻ろうとしたとき、工場のガラス越しに歩いている男の人が見えた。その人は朝鮮服に麻袋を腰に着けていて、私は李夫婦が頭の上で物を運ばないときは、そのように荷物を運んでいたことを思い出した。しばらくの間、私は幸せだった日々を懐かしく思い出していた。

またタンポポの葉を摘んで、竈まで戻ると、先程の若い男の人が雑貨屋に向かってゆっくり歩いて行った。

たぶんこの地域をよく知らない朝鮮人だと私は思った。おそらく、日本語を話せない彼は、探しているものを見つけられないのだろう。きっと私は彼を助けることができる。しかし、私は焼き串を用意し、竃で魚を焼き、タンポポのおひたしを作らなければいけなかった。

料理がすんだので、私は倉庫の前に出てみた。彼は向きを変え、戻って来るところだった。倉庫の向こうには野原が広がっており、彼が探しているような人家はなかった。彼は立ち止まって、それから私の方に向かって歩いてきた。

「こんばんは」

と流暢な日本語で言った。次第にその人の顔がはっきり見えてきた。そのとき――。

「ああ、小っちゃいの、小っちゃいの」

彼は私に向かって走ってきた。

私はあまりのうれしさと驚きでその場に立ちつくし、それから泣き叫びながら兄の腕の中へ飛び込んでいった。

「お帰りなさい、お兄様！」

その夜、闇が私たちの質素な部屋をすっぽりと包み込むと、私は三組の布団を敷いた。一組は淑世が、十分に休めるように。

私が布団に横になると、白い菊の花びらのように輝く星が見えた。私は羅南を出て以来初めて星が美しいと思った。瞬く星々は私たちの再会を祝福する花火のように大空で輝いていた。

了

日本語版刊行に寄せて

ヨーコ・カワシマ・ワトキンズ

この本がアメリカで出版されて二十年経った二〇〇六年の秋、ボストン近辺に住む在米二世韓国人たちが突如怒りを爆発させました。

本書はアメリカで中学生の教材として採用されていたのですが、その内容について、「日本人を被害者にし、長年の日帝侵略が朝鮮人民に対して被害、犠牲、苦痛を与えた歴史を正確に書いていない」『強姦についても写実的に書いており、中学生の読むのにふさわしい本ではない」といった理由をつけて、本を教材からはずす運動をあらゆる手段を使ってやり始めたのです。

さらに、「著者の父親が七三一部隊に属していた悪名高い戦犯であり、また慰安婦を満州に送った悪者である」といった事実に反することも言い始めました。そこにボストン駐在韓国領事も仲間に加わり、この動きが世界中に広まったのです。

本書は、私が十一歳のとき、母、姉と朝鮮北部の羅南を脱出したときの体験を書いた自伝的小説に過ぎません。私の意図は、個人や民族を傷つけるためのものではなく、この物語を通して戦争の真っ只中に巻き込まれたときの生活、悲しみ、苦しさを世の中に伝え、平和を願うためのものでした。

どの国でも戦争が起きると、人々は狼狽し、混乱して下劣になりがちですが、その反面、人間の良さをも引き出させることがあります。私はこの物語の中で、自分たちの身の危険もいとわずに兄の命を助けて保護してくれた朝鮮人家族の事を語っています。これは「親切さ」についての一つの例えですが、彼ら以外にも親切にしてくれた多くの朝鮮人たちがいました。

羅南から釜山、日本の福岡へと帰ってきた少女時代の経験は、戦争とは恐怖そのもので、勝負はなく互いに「負け」という赤信号なのだということを私に教えてくれました。私はそのことを本書を通して地球上の全ての子供たちに伝えたい――それだけが私の願いです。

子供時代の思い出である故、歴史家から見れば、いたる所に間違いもあるでしょう。その点はお許しください。

なお登場人物は家族と今は亡き松村氏以外は皆、仮名とさせていただきました。

本書のタイトルともなった「竹林《たけばやし》」については、こんな思いがあります。

私が住んでいた羅南の自宅の周りには、ヒョロヒョロとした竹があちこちに出ていました。それは森と呼べるようなものではなく、「ちょっとした竹林」というくらいのものでした。というのも、羅南には自生の竹はなかったのです。

母が育ったのは青森県でした。母の実家には大きな竹林があり、母は異境の地でもそれがとても恋しかったようです。そこで、父が東京に出張した際に、ついでに大きな竹の根っこを二つ、持って帰ってきてもらったそうです。その根っこを分けて、あちらこちらに植えたのが、自宅周りの竹林でした。

タイトルの「竹林」には、羅南の自宅への思いと、結局行くことが出来なかった青森の母の実家への思いという二つの意味が込められているのです。


最後に、本書の翻訳についての思いを語らせてください。

愛知県春日井市で学習塾を経営している都竹《つづく》恵子先生が、生徒たちに本書の原文を勉強させていて、塾長は今では立派な社会人に成長した卒業生の前川智彦氏、岡嶋卓也氏、梅本いつか氏らの生徒たちと共に訳をしていました。英文の熟語や成句などは、日本語に直せない難しさもあります。そんなとき彼女は、遠慮なしに私にＦＡＸで質問を浴びせてきました。

さらに塾長は、そのときの私の感情を正確に記するために、飽きることなく日本の文体に揃えるような言葉をさがすのに努力してくれました。そんな経緯もあり、私はいつか日本で出版されるときには、立派に出来上がったこの原稿を用いたいと希望していました。

他に塾長のご主人である都竹久氏に御苦労をねぎらい感謝いたします。さらに国語の大家である森伊都江先生、塾のアシスタントであった河尻かほる先生に深くお礼を申し上げます。

本書を通して世界中の人々が、真の平和の中に生きて行く事を祈ってやみません。

感謝しつつ。

二〇一三年五月　マサチューセッツ州ケープコッドにて

擁子

訳者あとがき

都竹　恵子

擁子さんに初めて出会ったのは、彼女が住んでいる隣町のオーリーンズ小学校へ行った時でした。私はそこでライフワークである日本文化の紹介をしたのです。擁子さんは私の歓迎会に来てくださって、「アメリカの生徒達のために来てくださり有難うございます」と深々とおじぎをして花束をくださいました。早いものでこの出会いから二十年以上が経ちました。

お会いしてすぐに、擁子さんから『So Far from the Bamboo Grove』を頂き、一気に読み、涙が止まらなかったことをよく覚えています。帰国したらこの本をすぐに教材として使うことにしました。この感動を私の生徒たちと分かち合いたいと思ったからです。そして、この本の主題でもある「戦争がいかに悲惨で無意味であるか」と「勇気をもって強く生きる」ことも伝えたいと思いました。また、副教材として多くのアメリカの生徒たちが読んでいる本です。日本人として読まない手はありません。

その後、何度となく擁子さんに、生徒たちと訳していたものを翻訳本として出版したいと言われましたが、本気にしませんでした。ただ誰でもいいから日本語訳を出して一人でも多くの人々に読んで貰いたいと思っていました。ある日、擁子さんに「恵子ちゃんは、日本語が下手だからこの仕事をあげるわ。もっと日本語も勉強してね」と言われ、それまでただ日本語に訳していたものを直し始めたのです。そうすると英語力不足もあり、細かい所で分からないところが次々に出てきました。その都度、しつこく擁子さんに質問していました。何度も読み直したが、ミスが見つかります。何より苦労したのは、日本語の後ろから英語が見えてくることでした。英語をずっと教えていますが、私は翻訳家ではありません。急に日本語が上手になるわけもありません。だから、読み易い文にするように心がけました。

二〇〇六年にこの本がアメリカで大問題になり、しばらくはそのままになっていました。しかし、この度突然、出版の話がありとんとん拍子に進んだのです。二十年前に感動し、生徒たちと一緒に訳した本が出版されるのです。夢みたいで信じ難いのが本音です。

擁子さんは、必ず約束を守る人です。ここに六十年かけて彼女が約束を果たした話があります。朝鮮北部から避難して博多に着き、そこから京都へ行く途中、広島駅で見たすさまじい光景に自分が生き延びたことをすまなく思い、「今は何もできませんが、大きくなったら皆様のために必ず何かをしますから」と祈ったそうです。

それからちょうど六十年後、二〇〇五年擁子さんはマサチューセッツ州のピース・アビーで始まった草の根市民運動である「平和団体ストーンウォーク」に参加しました。これは原爆の犠牲者や戦没者を悼む石碑を荷車に載せて長崎から広島まで六〇〇キロメートルを歩くものでした。荷車が広島平和公園に入ったとき、擁子さんは帽子とサングラスを外して汗を拭き、身なりを整えて手を合わせると、亡くなった方々に「六十年前は何もできませんでしたが、今こうして皆さまの声になり核製造、使用大反対と叫んでいます。ご安心ください」とご挨拶しました。そして彼女は約束を果たした悦びにあふれる涙を抑えたのでした。出発前、長崎の開会式では平和を願ってスピーチをし、そして最後まで歩き通したのです。

今まで擁子さんがアメリカの学校で行う講演を見学する機会が幾度かありました。彼女が話し始めると、全ての生徒の顔が変わっていき、彼女の世界へと入っていきます。英語であれ日本語であれ、彼女の話し方には「語り部」としての素晴らしい才能があります。その上、戦中戦後を生き抜いてきた強さが、何より多くの人々に感動と勇気を与えます。

この本は出版以来、学校の副読本になり数々の賞を受賞しています。また、毎年マサチューセッツ州の八年生（中学二年生）の学力テストに出題されています。そして彼女の講演依頼は常に数年後までいっぱいなのです。

このような素晴らしい本の翻訳というチャンスを下さり、私のエンドレスの質問に、昔を思い出し泣きながら答えてくれた擁子さんに深く感謝いたします。また、日本語の指導をして下さった森伊都江さん、その他何度も訳を読んで手伝ってくれた多くの塾のアシスタントの先生方、本当に有難うございました。みんなのお蔭でこの訳本が出来ました。擁子さんが伝えたいことがどれほど表現できているのかは非常に不安ですが、多くの方に、特に若い人々に読んでいただきたいと願っています。

最後になりましたが、出版まで導いてくださった株式会社ハート出版の日高裕明社長、編集を担当してくれた西山氏に御礼を申し上げたいと思います。

※本書の翻訳にあたり、一部、現在では不適切と思われる表現がありますが、当時の状況にできるだけ近い形で再現したいという原著者の意向を尊重し、あえて当時の表現のまま掲載しております。ご理解をお願いいたします。

◆著者◆
ヨーコ・カワシマ・ワトキンズ（Yoko Kawashima Watkins）
1933（昭和8）年、青森で生まれる。生後六ヶ月で南満州鉄道（満鉄）に勤務する父に連れられ、家族で朝鮮北部の羅南（現在の北朝鮮・咸鏡北道清津市）に移住。1945（昭和20）年、敗戦の間際に母、姉とともに羅南を脱出、朝鮮半島を縦断する決死の体験を経て、日本へと引き揚げた。帰国後、京都市内の女学校に入学。働きながら学問に励み卒業すると、大学の夜間部で英文学を学ぶ。卒業後、米軍基地で通訳として勤務していたが、結婚し渡米。アメリカの子供たちに日本文化を伝える活動をしていた。1986（昭和61）年に自身の体験を描いた初の著書である本書『So Far from the Bamboo Grove』を刊行。米国教育課程の副読本として採用され、多くの子供たちに親しまれている。2013（平成25）年には『竹林はるか遠く』（ハート出版）として邦訳刊行された。
1994（平成6）年、続編となる『My Brother, My Sister, and I』を刊行。こちらも2015（平成27）年に『続・竹林はるか遠く』（ハート出版）として邦訳刊行された。
現在も、講演活動などで全米だけでなく世界各国をめぐる多忙な日々を送っている。

◆訳者◆
都竹 恵子（つづく　けいこ）
1952年福島県いわき市生まれ。
結婚後、現在まで愛知県春日井市在住。
都竹学習塾塾長。通訳案内士。
佛教大学通信教育課程　文学部英米学科卒業。
佛教大学大学院（通信教育課程）修士課程修了。

写真協力：崔吉城（東亜大学教授）
写真提供：ヨーコ・カワシマ・ワトキンズ、株式会社国書刊行会、伊東雅之（中国新聞社）

竹林《たけばやし》はるか遠く　日本人少女ヨーコの戦争体験記

平成25年 7月19日　第1刷発行
令和 3 年10月 4 日　第9刷発行

著　者　ヨーコ・カワシマ・ワトキンズ
訳　者　都竹 恵子
発行者　日高 裕明
発　行　株式会社ハート出版

〒171-0014 東京都豊島区池袋 3-9-23
TEL.03(3590)6077 FAX.03(3590)6078
ハート出版ホームページ　http://www.810.co.jp

定価はカバーに表示してあります。

ISBN 978-4-89295-921-9　C0097

印刷･製本　中央精版印刷株式会社

ハート出版の「引揚体験記」他——好評既刊

かみかぜよ、何処に

私の遺言——満州開拓団一家引き揚げ体験記

稲毛幸子・著　四六判並製　本体 1500 円

“大正生まれ”の 91 歳の女性が戦争を知らない世代に綴った“遺言”。知っていますか？　私たちの祖父母、父母が体験した 70 年前の日本。日本人が決して忘れてはいけない記憶、語り継ぐべき歴史がここに。
ソ連兵や現地人による略奪・殺人・拉致、強姦、そして極寒・飢餓……。「神風よ、なぜ吹いてくれなかったの………」

ISBN978-4-89295-984-4

朝鮮出身の帳場人が見た慰安婦の真実

文化人類学者が読み解く『慰安所日記』

崔 吉城・著　四六判並製　本体 1500 円

国家基本問題研究所　第五回「国基研日本研究 特別賞」受賞作
本当に「強制連行」「性奴隷」はあったのか !?
「悪魔の証明」といわれた難問に終止符を打つ。
第一級史料から紐解いた著者渾身の書き下ろし！
韓国で刊行された話題の書『日本軍慰安所管理人の日記』の原典にあたり、その記述と内容を精査。

ISBN978-4-8024-0043-5

朝鮮戦争で生まれた米軍慰安婦の真実

［文化人類学者の証言］私の村はこうして「売春村」になった

崔 吉城・著　四六判並製　本体 1500 円

「従軍慰安婦」を捏造し、「強制」がなくても「人権」が問題と強弁する韓国がひた隠す性事情。
韓国に日本を責める資格があるのか？　韓国政府とメディア、進歩的文化人の矛盾を突く。
韓国メディアから「親日派」と猛バッシングを受けた文化人類学者が赤裸々に綴る。

ISBN978-4-8024-0060-2